Porady zawarte w niniejszej książce zostały sprawdzone przez autorów. Wydawnictwo nie ponosi odpowiedzialności w przypadku zaistnienia szkód zdrowotnych czy materialnych na skutek stosowania metod terapeutycznych opisanych w tym poradniku.

dr Rainer Matejka

Wyrzuć chorobę z organizmu

Oczyszczające zabiegi

bez recepty

Projekt okładki:
Oskar Głodowski

Przekład:
Magdalena Jatowska

Original German edition: Treib' die Krankheit aus dem Körper

Wydanie polskie: „Interspar" 2008

ISBN 978-83-61011-13-2

Oficyna Wydawnicza „Interspar"
02-952 Warszawa, ul. Wiertnicza 162
tel. (0 22) 885 26 09, 885 26 15
fax (0 22) 357 86 17
e-mail: sekretariat@interspar.pl
www.interspar.pl
Biuro handlowe: „Grupa A5" Sp. z o.o.
91-101 Łódź, ul. Krokusowa 1-3
tel./fax (0 42) 676-49-29
e-mail: handlowy@grupaA5.com.pl
www.grupaA5.com.pl

Redakcja techniczna, DTP:
TYPO 2 Jolanta Ugorowska

Druk i oprawa: OPOLGRAF SA

Spis treści

1

Nowa medycyna hipokratejska

Spójrzmy prawdzie w oczy – pacjenci potrzebują nie tylko poważnej reformy systemu opieki zdrowotnej, lecz także zmiany nastawienia w środowiskach medycznych. Większość chorób nie pojawia się przypadkowo. To skutek naszego „słodkiego życia" w dobrobycie. Powrót do medycyny Hipokratesa może wyzwolić nas od błędnego koła polegającego na leczeniu wciąż tych samych objawów!

O postępach i porażkach nowoczesnej medycyny

Cofnijmy się o dwadzieścia lat, kiedy nie istniała metoda tomografii komputerowej. Aby dokładniej zbadać głowę, wtłaczano powietrze do układu komór. Można było także wykonać badanie rentgenowskie i na podstawie zaobserwowanych zniekształceń zdiagnozować guzy lub wylewy. Diagnozy były jednak bardzo niedokładne, ponieważ w przypadku deformacji komór lekarz nie mógł poprawnie określić stanu pacjenta. Zlokalizowanie wylewu, szczególnie na małej powierzchni, było równie trudne, co ocena istoty mózgu. Jak wiemy, dziś jest zupełnie inaczej. Przy pomocy tomografii komputerowej, a dokładniej dzięki obrazowaniu rezonansu magnetycznego można bardzo dokładnie ocenić rodzaj, oddziaływanie i zasięg schorzenia na obszarze głowy. Kolejna zaleta – współczesne metody diagnostyczne nie są inwazyjne i w niewielkim stopniu obciążają organizm. W porównaniu z nimi wtłaczanie powietrza do komór było torturą. W rezultacie pacjenci często tygodniami i miesiącami cierpieli na ból i zawroty głowy oraz inne przykre dolegliwości.

Bez wątpienia jest to przykład wielkiego postępu poczynionego przez współczesną medycynę. Dalszy rozwój metod przeprowadzania badań umożliwi stawianie dokładniejszych diagnoz. To, o czym dawniej spekulowano, można dziś stwierdzić z całą pewnością.

Najważniejsze postępy w chirurgii

Podobne epokowe zmiany zaszły na polu metod chirurgicznych. Dzięki udoskonalanym technikom można skutecznie i bezpiecznie przeprowadzać coraz bardziej skomplikowane zabiegi. O ile przed dwudziestoma laty całkowite usunięcie prostaty stanowiło rzadką, trudną i ryzykowną operację, dziś jest to rutynowy zabieg na oddziałach urologicznych, chociaż nadal często dochodzi do powikłań.

Jeśli przyjrzymy się bliżej postępom medycyny, stwierdzimy, że mają one związek raczej z rozwojem techniki niż rozwojem nauki.

Nowoczesne leki czy wypróbowane domowe środki?

Postępy w farmakologii nie są tak jednoznaczne. Dzięki nowoczesnym środkom takim jak statyny można obniżyć wysoki cholesterol do niegroźnego poziomu. Nie jest to jednak terapia usuwająca przyczyny, podobnie jak środki obniżające ciśnienie nie likwidują przyczyn nadciśnienia. Pozostaje nierozstrzygnięte, czy nowoczesne środki z grupy sartanów, rzekomo znacznie obniżające liczbę zgonów, rzeczywiście są lepsze niż tradycyjne leki. W przemyśle medycznym nikomu nie przyszłoby do głowy, by przeprowadzić kosztowne badania na ten temat. „Zapomniane" leki nie są testowane – kto miałby na tym skorzystać? Jednak praktyka wykazuje, że nowoczesne środki obniżające ciśnienie, choć bez wątpienia skuteczne, mają często nieprzewidziane i nieprzyjemne skutki uboczne takie jak kaszel i podrażnienie gardła, natomiast stare domowe leki zwykle nie wywołują żadnych dolegliwości, zatem można je stosować zwłaszcza przy umiarkowanym nadciśnieniu.

Złe samopoczucie bez wyraźnych przyczyn

Jeszcze bardziej wątpliwe są „postępy medyczne" w przypadku złego samopoczucia. Coraz więcej osób cierpi na dolegliwości, których nie można zdefiniować w ramach szkolnej medycyny, takie jak wyczerpanie, przewlekłe infekcje, na przykład zapalenia zatok nosowych i pęcherza, zaburzenia trawienia bez objawów gastroenterologicznych, przybieranie na wadze niezwiązane ze zmianą sposobu odżywiania i inne. O wielu z tych przypadłości będzie mowa w niniejszej książce.

Jeśli w przypadku powyższych dolegliwości wszelkiego rodzaju badania, prześwietlenia czy testy laboratoryjne nie pozwalają zdiagnozować choroby, pacjent uznawany jest za zdrowego, a przyczyny problemu upatruje się w zaburzeniach psychosomatycznych. Jednak doświadczenie uczy, że czynniki psychosomatyczne nie odgrywają tak dużej roli, jak się powszechnie uważa. Medycyna psychosomatyczna nie radzi sobie ze złożonymi zaburzeniami samopoczucia podobnie jak medycyna kliniczna. Zatem w przypadku tej grupy pacjentów wyraźnie istnieje ogromna luka w opiece zdrowotnej. Wędrują oni od lekarza do lekarza, od specjalisty do specjalisty, nie uzyskując zadowalającej diagnozy, nie mówiąc już o podjęciu leczenia. Uchodzą za „organicznie zdrowych", ale czują się chorzy. Zdrowotno-ekonomiczne aspekty tego problemu nie zostały dotąd wzięte pod uwagę ani przez lekarzy, ani przedstawicieli kas chorych czy polityków. W przypadku zaburzeń samopoczucia ubezpieczony ma oczywiście prawo do diagnozy i leczenia, a właśnie liczne konsultacje u różnych specjalistów przyczyniają się do znacznego wzrostu kosztów opieki zdrowotnej.

Historia medycyny pomaga

Historii medycyny nie powinniśmy traktować nostalgicznie. Nie tylko poszerza ona nasze horyzonty, ale może także pomóc w medycznej codzienności.

Obraz świata we współczesnej medycynie opiera się na odkryciach Rudolfa Virchowa dokonanych w pierwszej połowie XIX wieku. Virchow ustalił, że tkanki zbudowane są ze struktur komórkowych, zatem choroba musi przejawiać się w zmianach komórkowych. Zadaniem lekarza jest odkrycie zmian w komórkach i narządach poprzez odpowiednie badania. O ile początkowo lekarz zdany był wyłącznie na pięć zmysłów i tylko czasem posługiwał się prymitywnymi narzędziami, na przykład trąbką akustyczną, o tyle już w drugiej połowie XIX wieku rozwinięto liczne metody diagnostyczne w zakresie chemii laboratoryjnej i mikrobiologii. Do najważniejszych twórców postępu należą Robert Koch i Emil von Behring. Na przełomie wieków pojawiła się także technika rentgenowska, a po II wojnie światowej nastąpił tak szybki rozwój metod diagnostycznych, że umożliwił wyróżnienie szeregu zespołów chorobowych. Taki rodzaj medycyny nazywamy dziś medycyną szkolną, ponieważ lekarze są w niej „szkoleni". Szczególnie w przypadku konkretnego nagłego problemu, na przykład przy stwierdzonym nowotworze lub zaawansowanym mięśniaku macicy, można poprzez zabieg operacyjny zapobiec rozwojowi choroby lub przynajmniej go powstrzymać.

W przypadku wspomnianych zaburzeń samopoczucia, ale również przy większości przewlekłych schorzeń cywilizacyjnych takich jak nadciśnienie, cukrzyca czy zwyrodnienie stawów, szkolna medycyna jest mniej skuteczna. Liczne metody leczenia, szczególnie metody farmaceutyczne, są czysto objawowe. Po zakończeniu terapii dolegliwości powracają.

Koncepcja soków Hipokratesa

Przez ponad dwa tysiące lat obowiązywał w medycynie inny obraz świata, który opierał się na zasadach Hipokratesa, praojca zachodniej medycyny. Hipokrates zakładał, że przyczyną choroby jest niewłaściwe mieszanie się soków. Określał to zjawisko jako „dyskrazja" w przeciwieństwie do „eukrazji", zdrowego i prawidłowego połączenia soków. Hipokrates rozróżniał krew i śluz, a także żółtą i czarną żółć, podział, który obecnie, ponad dwa tysiące lat później, wydaje się nam prymitywny. Mimo to przez stulecia ponad sto pokoleń lekarzy aż do XIX wieku stosowało się do hipokratesowej „nauki o sokach". Zatem medycyna Hipokratesa była dawniej „naturalną medycyną", a nie odstępstwem od normy. Wszyscy słynni lekarze tacy jak rzymski Galen, Paracelsus, Thomas Sydenham czy Hufeland – wszyscy oni byli „uczniami" Hipokratesa stosującymi „medycynę humoralną", jak fachowo określa się naukę o sokach.

Lekarze mieli zapobiegać możliwości rozwoju choroby poprzez zabiegi oczyszczające soki, a mówiąc współcześnie usprawniające przemianę materii. W tym celu stosowano puszczanie krwi i stawianie baniek, jak również kąpiele, lewatywy i diety, a niekiedy post. Nie ma wątpliwości, że ta forma medycyny także bywała skuteczna. W XVII wieku światową sławę zyskał angielski prowincjonalny lekarz Thomas Sydenham, choć w zasadzie leczył tylko poprzez puszczanie krwi i proste zabiegi oczyszczające. Co zdumiewające, gdy przeglądamy pisma wszystkich „uczniów" Hipokratesa, znajdujemy w nich konkretne metody terapeutyczne, które okazują się skuteczne przy współczesnych chorobach cywilizacyjnych i zaburzeniach samopoczucia takich jak wyczerpanie lub bóle i zawroty głowy, w nowoczesnych podręcznikach medycznych omawianych skrótowo lub wcale.

Powrót do korzeni?

Czy zatem rozwiązaniem jest powrót do korzeni zachodniej medycyny? Tak i nie. Założenia medycyny Hipokratesa – rozważane od strony organicznej i dostosowane do wymogów współczesności – oferują sposoby leczenia licznych chorób cywilizacyjnych. Są one nie tylko skuteczne, ale także pozwalają zmniejszyć koszta opieki medycznej.

Kryzys finansowy w systemie opieki zdrowotnej ma, wbrew powszechnej opinii, nie tylko przyczyny polityczne i demograficzne. Koszta rosną również z powodu bezradności współczesnej medycyny, co wymusza zmiany strategii logistycznych. Czysto objawowa, nastawiona na środki farmakologiczne medycyna nie wystarcza. Przykładem tego jest opisana poniżej, często spotykana sytuacja.

Z PRAKTYKI LEKARSKIEJ

Zmiana stylu życia

Po operacji usunięcia guza pacjent pyta lekarza: „Panie doktorze, jak mam teraz żyć?". Odpowiedź: „Tak, jak do tej pory". Można uznać, że na tym polega największy krok wstecz współczesnej medycyny. Dwa tysiące lat temu byliśmy znacznie dalej. Hipokrates odparłby: „Jeśli nie jesteś gotowy zmienić swojego życia, nie mogę ci pomóc". Następnie wskazałby możliwości zmiany dotychczasowego stylu życia, zaleciłby pacjentowi kierowania się naturalnymi rytmami, dbanie o odpowiednią ilość wypoczynku, snu, wolnego czasu i relaksu, a także spożywanie regularnych posiłków i optymalizację sposobu odżywiania. Wszystko to ma na celu zmianę stanu całego organizmu, odciążenie przemiany materii, pobudzenie układu odpornościowego i odzyskanie równowagi psychowegetatywnej.

Hipokratesowska strategia może pomóc i dziś w przypadku wielu chorób cywilizacyjnych. Czy to wysokie ciśnienie, choroba wieńcowa, zwyrodnienie stawów, alergia czy ból pleców, nie zapominajmy, że wszystkie te schorzenia w okresie po II wojnie światowej, a zatem w czasach niedostatku, były niemal nieznane.

Rosnący dobrobyt a schorzenia cywilizacyjne

Dopiero rosnący dobrobyt w połączeniu z coraz obfitszymi posiłkami i siedzącym trybem życia doprowadził do wystąpienia wyżej wymienionych zespołów chorobowych. Podobny proces obserwujemy także w innych rejonach świata, na przykład w Zatoce Kuwejckiej – dzięki ropie naftowej mieszkańcy tego obszaru prowadzą wygodne życie i przejmują zachodni sposób odżywiania. Skutek – również tam licznie występują schorzenia serca i krwiobiegu, alergie oraz astma, gwałtownie wzrosła też ilość zachorowań na raka.

Choroba nie pojawia się zatem przypadkowo. Z reguły jest to rezultat naszego stylu życia. Nie jest to zarzut, lecz zachęta, by wziąć kwestie zdrowotne we własne ręce. Na tym polega współczesne zastosowanie zasad Hipokratesa.

Hipokrates czy Virchow?

Metody terapeutyczne Hipokratesa często dotykają sedna problemu, ale są z natury mało specyficzne. Oznacza to, że nie wystarczają w nagłych, groźnych wypadkach. Ten czynnik w znacznym stopniu zdecydował o zwycięstwie współczesnej szkolnej medycyny zapoczątkowanej przez Virchowa.

Warto wiedzieć

Mieszane metody postępowania

Odpowiedź na pytanie, który obraz świata w medycynie jest lepszy – Hipokratesa czy Virchowa – brzmi zatem: oba mają sens. We wszystkich nagłych, groźnych przypadkach zastosowanie znajduje oczywiście współczesna szkolna medycyna. Jeśli natomiast chodzi o schorzenia uwarunkowane trybem życia, a także o zaburzenia samopoczucia, dominuje nowoczesna forma medycyny hipokratejskiej. W wielu przypadkach najlepsze rezultaty można uzyskać łącząc metody medycyny szkolnej z zasadami Hipokratesa. Stąd nie jest to kwestia wyboru, lecz właściwego połączenia.

Współczesna medycyna hipokratejska – człowiek jako beczka wina?

Wyobraźmy sobie ludzki organizm jako beczkę. Wielkość beczki zależy od typu budowy ciała, od uwarunkowań genetycznych. W ciągu życia do beczki trafiają najrozmaitsze czynniki – trucizny ze środowiska, leki, promieniowanie radioaktywne, złe odżywianie. Ważną rolę odgrywa również stres, przy czym nie chodzi tu o nagłe szokujące doznania, lecz o codzienną złość, która prowadzi do niezadowolenia, przeciążenia i emocjonalnego osłabienia.

Model beczki przedstawia chorobotwórcze czynniki

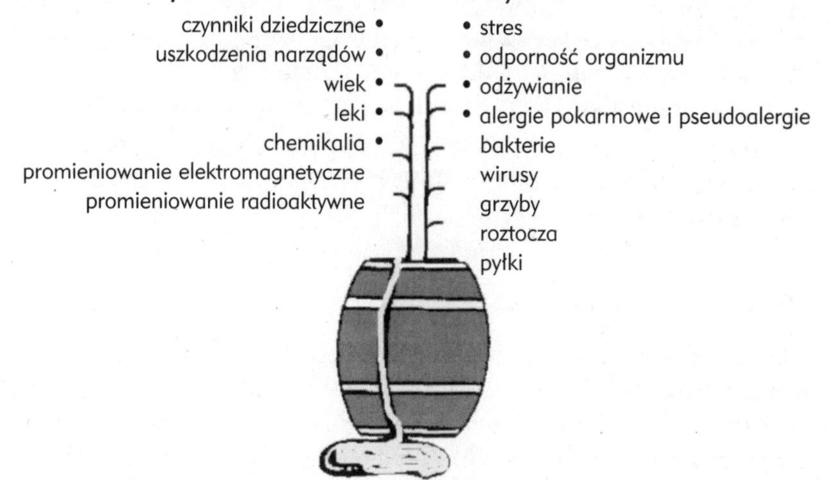

W pewnym momencie beczka napełnia się i zaczyna przelewać. W zależności od indywidualnych skłonności prowadzi to do różnych reakcji. Niektórzy ludzie czują się tylko wyczerpani, inni cierpią na bezsenność lub migreny. U pozostałych pojawia się nadciśnienie lub zaburzenia żołądkowo-jelitowe. Wreszcie występują również dolegliwości reumatyczne albo schorzenia nowotworowe.

W ten sposób bardzo łatwo wyjaśnić, dlaczego pacjenci cierpią na nadciśnienie, alergie i migreny. Wszystkie te objawy wskazują, że beczka jest pełna, a organizm nie radzi sobie z przemianą materii i procesami regulacyjnymi. Stąd biorą się symptomy chorobowe.

Strategie przyczynowe

Medycyna Hipokratesa pozwala zastosować strategie przyczynowe. Jeśli zostaniemy przy modelu beczki, wyglądają one następująco:

Chodzi o to, by do beczki – naszego organizmu – trafiało mniej szkodliwych substancji. Na trucizny środowiskowe lub promieniowanie radioaktywne mamy niewielki wpływ. Inaczej w przypadku stosowania leków. Powinniśmy być ostrożni i w miarę możliwości unikać stałego przyjmowania środków, które nie są dla nas niezbędne. Jeszcze większy wpływ mamy na czynniki stresotwórcze. Dzięki ćwiczeniom relaksacyjnym, a także poprzez świadomą zmianę stylu życia udaje się osiągnąć wiele dobrego.

Dochodzimy do odżywiania, które można porównać z tankowaniem paliwa do samochodu. Jeśli nieustannie tankujemy benzynę o niewłaściwej liczbie oktanowej, nie dziwmy się, że z czasem silnik zaczyna gorzej chodzić. Mamy stały wpływ na sposób odżywiania. Niestety doświadczenie dowodzi, że tylko ograniczona liczba osób jest gotowa zdecydowanie zmienić styl życia, zadbać o zdrowie i w miarę potrzeb zrezygnować z niektórych przyzwyczajeń i przyjemności.

O ludzkim lenistwie

Johann Christian Friedrich Scherf dobrze wiedział, co mówi, gdy stwierdził: „My, lekarze, stoimy niczym kamienie milowe. Jesteśmy zauważani, ale większość ludzi nie zwraca na nas uwagi, ponieważ sądzą, że i bez nas odnajdą właściwą drogę".

Ludzkie lenistwo nie jest zatem zjawiskiem typowym dla współczesności. Przejawia się we *wszystkich epokach* historii medycyny. Narzekał na nie już Hipokrates, a także Paracelsus, wielki lekarz znany jako Theophrastus Bombastus z Hohenheimu, który powiedział kiedyś, że leniwemu człowiekowi trzeba „rozniecić ogień pod kociołkiem", żeby był gotowy zmienić sposób życia.

Obecnie nie wystarczą apele do świadomości. Pomogą tylko masowe kroki materialne. Czynne szkodzenie zdrowiu musi stać się znacznie droższe. Kto jest gotowy poprzez świadomą zmianę stylu życia poprawić swój stan zdrowia, powinien zostać nagrodzony finansowo. To polityczne zadanie, które musi się zacząć od głębokiej ustawowej reformy systemu opieki zdrowotnej. Wszelkie pozostałe próby reform nie dotykają istoty problemu.

Warto wiedzieć

Johann Christian Friedrich Scherf (1750-1818)

Dworski medyk książąt Lippe-Detmold, skarżył się swego czasu, że nie ma prawodawstwa dotyczącego „ludzkiego zdrowia", a przecież robi się wiele dla „zachowania leśnych zwierząt". „Pierwszym żądaniem" ludu wobec władcy jest zatem, by „troszczył się o swoje życie i zdrowie", ponieważ „wpływ sztuki lekarskiej na dobro państwa" jest oczywisty. Jedynie lekarze „stoją niczym kamienie milowe, które nieustannie wskazują drogę, ale nikt nie zwraca na nie uwagi, ponieważ wszyscy sądzą, że i bez nich odnajdą właściwy szlak. Dzieci uczą się stolic odległych królestw, ale nie znają podstawowych zasad dbania o zdrowie. Dietetyka w państwie pozostaje tym, czym była - przeciwieństwem tego, czym powinna być".

Opróżnianie beczki przy pomocy oczyszczających zabiegów

Powróćmy na chwilę do naszej beczki. Niezależnie od tego, co możemy zrobić, by trafiało do niej mniej szkodliwych czynników, pojawia się pytanie, jakie istnieją możliwości, by opróżnić przepełnioną beczkę. Służą temu zabiegi oczyszczające. O ile dawniej stosowano puszczanie krwi, bańki lub wymuszanie wymiotów, obecnie możemy trwale wpłynąć na przemianę materii i układ odpornościowy poprzez ścisłą dietę, leczniczy post i nowoczesne formy oczyszczania jelit. Co ważne, medycyna hipokratejska wspomaga organy wewnętrzne również wtedy, gdy w sensie internistycznym są nadal zdrowe.

I jeszcze jedno. To, że beczka się przepełnia, nie zależy od jednego czynnika, może on stanowić jedynie przysłowiową kroplę, która przechyla czarę. Na ostateczny stan wpływa suma różnych elementów. W wielu przypadkach nie jest możliwe stwierdzenie jednej przyczyny, czego, co zrozumiałe, oczekuje pacjent. W rzeczywistości chodzi o splot przyczyn, które należy odkryć przy pomocy dokładnego wywiadu lekarskiego i celowych badań.

Pomocna medycyna chińska

Już przed tysiącami lat chińscy lekarze zaobserwowali, że narządy wewnętrzne nie pracują tak samo za dnia i w nocy. Regularnie następują po sobie fazy zwiększonej i ograniczonej aktywności.

Kilka przykładów

Nasze narządy i ich rytm pracy

- Lekarze pracujący na pogotowiu mogą potwierdzić, że do przypadków kolki wątrobianej wzywani są głównie o północy, gdy najintensywniej pracuje woreczek żółciowy.
- Ataki astmy występują głównie wczesnym rankiem między godziną 3.00 a 5.00 rano – w czasie aktywności płuc.
- Jeśli zaburzenia trawienia zdarzają się między 7.00 a 9.00 rano, może to wskazywać na niedoczynność żołądka.
- Zawały serca właściwie nigdy nie występują w południe, lecz wczesnym rankiem lub wczesnym wieczorem, w czasie głównej aktywności układu krwionośnego.

Gwiazda energii według Penzela przedstawia fazy aktywności organizmu

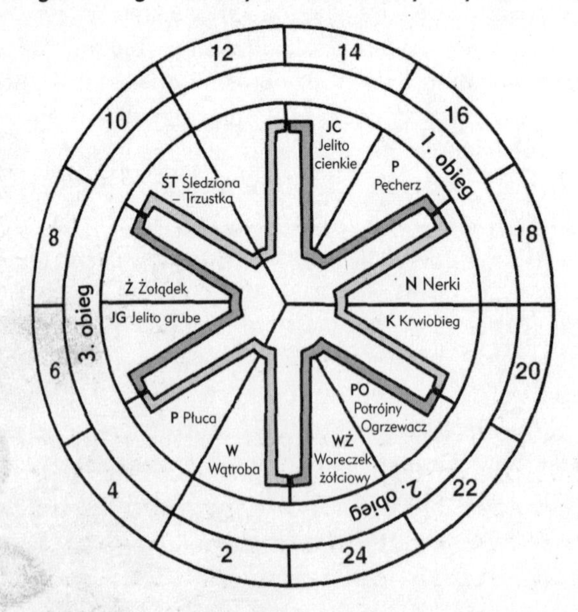

Podział czasowy może oczywiście być różny w zależności od indywidualnej budowy ciała. Przykładowo zaburzenia snu polegające na regularnym budzeniu się o 3.00 rano mogą oznaczać zaburzenia wątrobowe, choć zwykle aktywność wątroby przypada na okres między godziną 1.00 a 3.00.

Podział czasowy nie jest oczywiście podstawą dokładnej naukowej diagnozy i nie zastąpi specjalistycznych badań. Z drugiej strony w przypadku pacjentów, którzy – jak to często bywa – zostali przebadani zgodnie z wszelkimi regułami nowoczesnej klinicznej medycyny, ale nie przyniosło to rezultatów, chiński zegar narządów może być bardzo pomocny.

Zatem dla uzyskania pełnego obrazu chorobowego pytamy, czy dolegliwości występują o określonej porze dnia lub nocy. Następnie zastanawiamy się, któremu narządowi odpowiada dana pora. W rezultacie możemy zastosować odpowiednią, przynoszącą ulgę terapię, zamiast, jak to dawniej bywało, mówić pacjentowi, że „musi z tym żyć".

Przyporządkowanie bólu do meridianów

W przypadku dolegliwości bólowych może pomóc przyporządkowanie obszaru uciążliwego bólu do meridianów.

Pięć przykładów

Obszar bólu i meridiany

- ✗ migrena z uciskiem za oczami, jakby były one wypychane na zewnątrz = meridian woreczka żółciowego
- ✗ chroniczny ból na obszarze lędźwiowym = meridian pęcherza
- ✗ łokieć tenisisty (epicondylitis lateralis) = meridian jelita grubego
- ✗ ból na obszarze łopatek = meridian jelita cienkiego
- ✗ niesprecyzowany, niepowiązany z zębami ból w dolnej szczęce = meridian żołądka

W medycynie hipokratejskiej ból jest oznaką przeciążenia przemiany materii i „zakwaszenia", natomiast w tradycyjnej medycynie chińskiej za przyczynę bólu uważa się zaburzenia przepływu energii.

Pojęcie „energii" jest dość obce zachodniej medycynie. Możemy go przybliżyć poprzez przykład z obszaru techniki. Wyobraźmy sobie linie akupunkturowe, czyli meridiany, jako autostradę danych w sieci komputerowej. Funkcjonowanie narządu zależy od ciągłego przepływu danych. Jeśli zostanie on zaburzony – z dowolnego powodu – dochodzi do zakłóceń w funkcjonowaniu narządów wewnętrznych. W takiej sytuacji celem jest odnowienie harmonijnego przepływu energii przy pomocy odpowiednich środków. Gdzie panuje energetyczna pustka, powinniśmy pobudzić przepływ, gdzie zebrał się nadmiar energii, należy go uwolnić. Odpowiednie metody to akupunktura i masaż akupunkturowy według Penzela (APM), a także zabiegi takie jak stawianie baniek.

Uczyć się od policji kryminalnej

Szczególnie w przypadku skomplikowanych, poważnych chorób lekarz powinien wyszukiwać kolejne poszlaki niczym kryminolog. Z zestawienia poszczególnych cegiełek powstaje mozaika, która pozwala wnioskować o profilu przestępcy, a w tym wypadku o przyczynie choroby. Często chodzi nie o jednego sprawcę, lecz o całą grupę. Pacjent może w pierwszej chwili poczuć się zagubiony, jednak właśnie nowoczesna medycyna naturalna oparta na medycynie hipokratejskiej daje możliwość, by za jednym zamachem pozbyć się różnych czynników chorobotwórczych.

O typach budowy ciała

„Każdy człowiek jest inny", mówi się często i jest to prawda. Jednak uwaga – gdyby każdy człowiek pod każdym względem różnił się od pozostałych, na nic zdałoby się doświadczenie lekarskie, a cała medycyna nie miałaby sensu, skoro opiera się na analogiach. Nawet jeśli „materiał genetyczny" każdego człowieka różni się pod względem budowy ciała, przemiany materii i innych cech szczególnych, między ludźmi można znaleźć wiele podobieństw.

Na tej podstawie opracowano naukę o budowie ciała. Co prawda jest ona odrzucana przez współczesną medycynę jako niedokładna, lecz w codziennym życiu okazuje się niezwykle pomocna, a w dodatku nieco zabawna.

Oprócz teorii fizjologa Carla Hutera i podziału ludzi na „wrażliwych na ciepłe i zimne fronty" przez niemieckiego lekarza Manfreda Cur-

Różne typy budowy

Trzy osobowości smukłe/leptosomiczne (za Spieth): Kalwin, Annette von Droste-Hülshoff, Kurt Schumacher

Trzy osobowości pykniczne: Marcin Luter, Pani Aja (matka Goethego), Ludwig Erhard

Trzy osobowości atletyczne: August Mocny, Katarzyna Wielka, Max Schmeling

ry'ego pomocny jest przede wszystkim podział budowy ciała przez neurologa i psychiatrę Ernsta Kretschmera z Tübingen.

Typ pykniczny

Pyknik to serdeczny, pulchny człowiek, który dzięki jowialnemu zachowaniu jest zwykle miłym towarzyszem. W dowolnym zgromadzeniu to on najczęściej się odzywa i wprowadza dobrą atmosferę. Pyknicy mają poczucie humoru i potrafią rozbawić towarzystwo. To także wspaniali mówcy, którzy w każdej sytuacji znajdują odpowiednie słowa. Lubią jeść oraz rozmawiać o jedzeniu i sprawach gospodarczych. Są aktywni i nie owijają w bawełnę, tylko szybko przechodzą do sedna, a następnie wprowadzają w życie podjęte decyzje. Tematy wysoce intelektualne są im raczej obce, choć pyknicy wyróżniają się muzykalnością.

Spotkanie, w którym nie biorą udziału pyknicy, to niezbyt miłe doświadczenie. Ludzie milczą lub nieudolnie próbują zacząć rozmowę, ale się w nią nie angażują. Z kolei pyknicy potrafią barwnie opowiadać, są nieskomplikowani, otwarci i nie żywią długo urazy.

Ze względu na duży obwód ciała pyknicy mają dużą ilość tkanki tłuszczowej w stosunku do mięśni. Zarazem wyglądają zdrowo, ponieważ mają „zdrowy" koloryt cery. To ludzie wygodni, o krótkich i masywnych członkach. Nienawidzą sportu. Jak mawiał Churchill: „No sports!".

Jak już powiedziano, pyknik bardzo lubi jeść i z reguły wybiera dania mięsne zamiast „zdrowych" potraw. Gdy postawi się przed nim danie wegetariańskie, pyta, kiedy dostanie coś „porządnego" do jedzenia.

Pyknicy niezbyt interesują się kwestiami medycznymi. Jeśli ktoś udziela im rad, jak dbać o zdrowie, zwykle okazują znudzenie i, szczególnie w przypadku diet, nie stosują się do zaleceń. Są wdzięczni lekarzom, którzy nie mówią zbyt wiele, lecz przepisują tabletki, robią zastrzyki i doradzają operacje. Stanowią jednak problem dla lekarzy, którzy chcą udzielać dobrych rad i w rozmowie z pacjentem ustalić „całościową" terapię. Pyknicy nie lubią długich przemówień. Mówią: „to pan jest lekarzem, pan powinien wiedzieć, co mi dolega" albo „niech mi pan zrobi zastrzyk" lub „potrzebuję porządnego leku". Rzadko usłyszymy z ich ust pytanie: „Co mogę sam zrobić dla poprawy zdrowia?".

Z drugiej strony wśród pikników często zdarzają się osoby, które rzeczywiście mają lub wydają się mieć zdrowie absolutne. Są to na przykład właściciele winnic wypijający hektolitry wina, co nie zmienia znacząco stanu ich wątroby i wyników badań krwi.

Warto wiedzieć

Zdrowie absolutne i względne

Prof. Alfred Bauchle, nestor niemieckiej medycyny, przedstawił podział na zdrowie względne i absolutne. Zdrowiem absolutnym cieszą się osoby, które mogą pozwolić sobie na wszelkie występki przeciw zdrowemu trybowi życia i nie stają się od tego chorzy. Zdrowie względne oznacza, że pacjent musi uważać, by nie narażać niepotrzebnie swego zdrowia. Bez wątpienia większość z nas w najlepszym wypadku cieszy się zdrowiem względnym.

Mimo to ze względu dużą masę ciała pyknicy mają skłonność do nadciśnienia, choroby wieńcowej, podwyższonego cholesterolu i cukrzycy, więc w ich przypadku działają często (ukryte) czynniki ryzyka. Może się zdarzyć, że niczym rażony piorunem pacjent pada ofiarą asystolii lub zatoru płuc.

Typ atletyczny

O ile pyknicy mają skłonność do tak zwanych chorób wewnętrznych związanych z zaburzeniami przemiany materii, typ atletyczny często cierpi na schorzenia zewnętrzne. Oznacza to, że jest szczególnie podatny na schorzenia stawów, mięśni, ścięgien i wiązadeł, a także skóry. Pod względem budowy ciała jest masywny, ma dużą klatkę piersiową z dominującą szczęką i dużymi dłońmi. Także u kobiet występuje raczej męska muskulatura.

Pod względem temperamentu typ atletyczny waha się między flegmatyczną ospałością i wybuchowością oraz koniecznością ruchu. Uchodzi za godnego zaufania, niełatwo go też wyprowadzić z równowagi. Neurolog i psychiatra Ernst Kretschmer powiada: „Unosi się nad nim duch ociężałości".

Dla lekarza typ atletyczny stanowi niekiedy problem – nie jest bardzo rozmowny, często trzeba z niego wyciągać informacje. Długie wykłady o przyczynach i podłożu chorób go nie interesują, podobnie jak pyknika. Nie należy przeciążać go rozważaniami o alternatywnych metodach leczenia ani zostawiać mu wyboru. Lepsze jest celowe działanie bez zbędnych słów. Typ atletyczny potrafi to docenić i obdarza wtedy lekarza szacunkiem i zaufaniem.

Typ asteniczny

Typ asteniczny bądź leptosomiczny całkowicie różni się od opisanych powyżej. To szczupła osoba o słabo rozwiniętej muskulaturze. Ma płaską klatkę piersiową i podłużną twarz. Sprawia wrażenie delikatnej. Jest blada, więc często słyszy: „Źle wyglądasz!". Podczas gdy inni tyją od samego patrzenia, może dużo zjeść, nie przybierając znacząco na wadze. Czasami wydaje się, że astenikowi brak witalności. Często jest introwertykiem, z trudnością okazuje uczucia. Rzadko zachowuje się w sposób ciepły i rozluźniony. Cechuje go swoiste napięcie i surowość. Na niektórych sprawia wrażenie zdystansowanego, choć jednocześnie łatwo go zranić i zaskoczyć. Nie jest osobą towarzyską. Kretschmer mówi o „chudych starych pannach i jędzach, o zjadliwych pedantach, nieufnych samotnikach, zimnych, podstępnych intrygantach, ograniczonych tyranach i skąpcach". Widać, że twórca podziału na typy budowy nie był przyjacielem asteników.

Typ leptosomiczny ma jednak także zalety – charakteryzuje go dobry gust oraz idealistyczne zaangażowanie. Staje w obronie ludzi, środowiska i przyrody. Liczni pisarze i artyści byli budowy leptosomicznej. W przeciwieństwie do typu atletycznego czy pykniczego ludzie tacy bardzo interesują się kwestiami zdrowotnymi, czasami bardziej, niż to konieczne – czytają wiele książek na ten temat i sami wypróbowują wiele metod, na przykład alternatywne diety. Często zbaczają przy tym na manowce. Choć mają skłonność do marznięcia, sądzą na przykład, że jedynie słuszne są surowe pokarmy. Tylko one mają naturalną postać, którą tracą przez gotowanie i inne sposoby przygotowania. W rzeczywistości chłodząca dieta z surowizny nie sprzyja astenikom. Nasila skłonność do marznięcia i dodatkowo obniża niskie już ciśnienie krwi.

Również nieprzetworzone zboża nie służą astenikowi, ponieważ zwykle ma on wrażliwy układ pokarmowy. Skutkiem ich spożycia są procesy gnilne w jelitach i wzdęcia, a przez to znaczne pogorszenie ogólnego samopoczucia. Dla całościowo myślącego lekarza leptosomik może być wdzięcznym pacjentem, ponieważ sam ma dużą wiedzę i nie trzeba tłumaczyć mu fachowych pojęć. Z drugiej strony bywa nadwrażliwy i każdy wynik badań na granicy normy uznaje za objaw groźnego schorzenia. Nie przypadkiem też większość pacjentów cierpiących na choroby środowiskowe lub wrażliwych na promieniowanie elektromagnetyczne jest budowy leptosomicznej.

Jaki jest mój typ budowy ciała?

Teraz słusznie zapytasz: „Do której grupy należę?". „A może do żadnej z nich?". Oczywiście powyższy opis opiera się na czarno-białym podziale. Rzadko trafimy na osoby w pełni odpowiadające opisanym typom. Istnieją też odstępstwa od normy – niewrażliwi astenicy i obdarzeni twórczym talentem pyknicy.

Mimo to przedstawiony podział jest bardzo pomocny. Umożliwia ustalenie właściwego „korytarza lotu". W obrębie tego korytarza możliwa jest różna „wysokość lotu", ale unikamy całkowicie błędnych ocen. Mówiąc jasno, zapobiega to bezsensownym, prowadzącym donikąd metodom diagnostycznym i nieodpowiednim terapiom, natomiast umożliwia celowe, zindywidualizowane postępowanie.

Dzięki prostym pytaniom można szybko ustalić swój typ budowy ciała. Już samo pytanie: „Czy często marzniesz, czy jest ci raczej ciepło?" pomaga określić daną grupę. Kto ma w sobie ciepło, potrzebuje chłodzących, oczyszczających zabiegów. Kto ciągle marznie, potrzebuje zabiegów ogrzewających i dostarczających energii. To takie proste.

Typowe schorzenia cywilizacyjne

W radio, telewizji i prasie tak zwani eksperci od spraw zdrowotnych ostrzegają przed różnymi niedoborami, szczególnie w kontekście odżywiania. Trzeba pić dużo mleka, by dostarczać organizmowi wapnia, jeść ryby, by podnieść poziom jodu, nie zapominać o mięsie, bo tylko w ten sposób pozyskamy odpowiednią ilość żelaza i witaminy B, i tak dalej.

W rzeczywistości problematyka współczesnych chorób cywilizacyjnych wygląda zupełnie inaczej. Nie wynikają one z niedoborów, a raczej z nadmiaru. Droga do zdrowia nie polega zatem na jedzeniu wszystkiego, lecz na celowym zrezygnowaniu z niektórych pokarmów.

Przykłady

Typowe steniczne zespoły chorobowe

- choroba wieńcowa (zwapnienie naczyń wieńcowych)
- wylew
- nadciśnienie
- artretyzm
- wysoki poziom cholesterolu
- cukrzyca typu II (u osób starszych)
- choroba zwyrodnieniowa stawów
- dolegliwości związane z klimakterium
- nadmierna potliwość
- wrzody, mięśniaki, cysty
- poważne infekcje

Powszechny dziś „nadmiar" prowadzi do chorób stenicznych. Stenia oznacza tyle, co „pełnia sił, nadmiar".

Nie chodzi przy tym wyłącznie o niezależne choroby, lecz także o powiązane ze sobą objawy. Cukrzyca, nadciśnienie i artretyzm często występują łącznie na skutek przeciążenia przemiany materii. W medycynie mówi się wtedy o syndromie metabolicznym.

W ciągu ostatnich dwudziestu lat w alarmującym stopniu szerzą się dolegliwości, których często nie można dokładnie zdiagnozować, ale które znacznie obniżają jakość życia pacjentów. Symptomy te są przedwcześnie klasyfikowane jako „psychosomatyczne". W rzeczywistości chodzi o grupę objawów pomiędzy schorzeniami organicznymi a psychosomatycznymi. Nazywa się je „funkcjonalnymi". Choć z reguły nie są groźne dla życia, nieleczone mogą stopniowo doprowadzić do coraz dotkliwszych cierpień.

Zakres dolegliwości

Typowe dolegliwości funkcjonalne

- zmęczenie
- wewnętrzny niepokój
- ukryta depresja
- trudności z koncentracją
- wrażliwość na pogodę
- problemy ze snem
- podatność na infekcje
- zimne stopy
- swędzenie skóry
- potliwość
- chrypa
- napięcia mięśni
- ból pleców
- łokieć tenisisty/ostroga
- zgaga
- wzdęcia
- bóle głowy
- niejasny przyrost wagi (np. po operacjach)
- „wszystko po lewej"/„wszystko po prawej"
- „wszystko na górze"/„wszystko na dole"

Wszystkie te dolegliwości przywodzą na myśl model przepełnionej beczki.

Oczyszczające, usprawniające przemianę materii i przywracające równowagę wegetatywną zabiegi często mogą pomóc wtedy, gdy medycyna naukowa nie podaje skutecznych rozwiązań.

Pięć ponadczasowych zasad Hipokratesa

Hipokrates wskazuje nam drogę poprzez pięć ponadczasowych zasad.

Zasada 1.: Pokarmy zwierzęce spożywaj w umiarze, odżywiaj się głównie świeżymi pokarmami roślinnymi.

Przez dziesięciolecia w dietetyce pomijano znaczenie białek zwierzęcych i w podziale na białka, węglowodany i tłuszcze nie uwzględniano pochodzenia poszczególnych substancji. Dziś kwestia ta pojawia się coraz częściej. Zdrowa dieta opiera się głównie na roślinach i rzeczywiście powinna tylko w ograniczonym zakresie zawierać pokarmy zwierzęce. Przykładowo w Niemczech ministerstwo zdrowia poparło akcję „pięć razy dziennie" (czyli pięć razy dziennie warzywa i owoce). Dieta powinna być także dość skromna oraz – w miarę możliwości – opierać się na produktach z upraw ekologicznych. To zdumiewające i znaczące, że współczesna nauka po dziesięcioleciach błądzenia potwierdza wreszcie to, co inni wiedzieli już przed dwoma tysiącami lat.

Zasada 2.: Dwa razy do roku przeprowadzaj post.

Zdrowotny post nie służy wyłącznie odchudzaniu, lecz przede wszystkim oczyszczeniu organizmu i usprawnieniu przemiany materii. W sensie psychosomatycznym powinien także oczyszczać świadomość i pomagać odzyskać wewnętrzną harmonię. Dlatego post odgrywa ważną rolę we wszystkich światowych religiach. Zasada Hipokratesa sprawdza się zwłaszcza w epoce dobrobytu – poprzez świadomą, dobrowolną rezygnację z niekoniecznie niezbędnych rzeczy jaśniej dostrzegamy to, co naprawdę ważne. Według Heideggera, post zapewnia łaskę, a według Christy Mewes, jest to dar bezczasowej miary w bezmiernym czasie.

Zasada 3.: Dwa razy do roku stosuj puszczanie krwi.

Puszczanie krwi, często wyśmiewane jako średniowieczne i kojarzone z Molierem, w kręgach medycznych jest dziś uważane za całkowicie anachroniczne. Jedynie przy określonych schorzeniach, jak na przykład hemochromatozie, puszczanie krwi nawet w szkolnej medycynie uchodzi za właściwą terapię. Jednak od dawna uznawano je za zabieg rozcieńczający krew i obniżający ciśnienie, a jednocześnie za oczyszczający przemianę materii, przywracający równowagę wegetatywną i działający przeciwzapalnie. Dlatego lekarze przez stulecia stosowali puszczanie krwi. Angielski prowincjonalny lekarz Thomas Sydenham zyskał światową sławę dzięki przeprowadzaniu oczyszczających zabiegów, a zwłaszcza puszczania krwi.

Ważnym argumentem wobec licznych sporów są badania przeprowadzone w 2001 roku na uniwersytecie w Innsbrucku. Potwierdzają one, że kto dwa razy do roku zapobiegawczo poddaje się puszczaniu krwi, zmniejsza znacznie ryzyko zawału serca i wylewu. A zatem współcześni naukowcy potwierdzają doświadczenia lekarzy sprzed stuleci, jeśli tylko zadadzą sobie trud przeprowadzenia badań.

Zasada 4.: Pracuj codziennie na dworze, aż się spocisz.

Zalecenie to łączy aktywność fizyczną z oczyszczaniem. Wartość aktywności fizycznej jest nieoceniona. Zapobiega ona nie tylko zwyrodnieniu stawów, lecz jest jedynym skutecznym sposobem, by pozbyć się chronicznego bólu pleców. Poza tym pobudza ukrwienie i przepływ limfy. W ten sposób nie tylko wzmacniamy krwiobieg, ale trwale poprawiamy swój nastrój. W przypadku pacjenta cierpiącego na chroniczną depresję, który przez ponad 30 lat poddawał się najrozmaitszym terapiom, począwszy od psychoterapii przez leczenie farmakologiczne po liczne pobyty w specjalistycznych zakładach, pomogło tylko jedno – regularne, intensywne ćwiczenia fizyczne.

Zasada 5.: Codziennie poddawaj się masażowi i nacieraj się olejem sezamowym.

Kto do tej pory się nie uśmiechał, uczyni to w tym miejscu. Któż nie chciałby codziennie poddawać się masażowi? Masaż oznacza przykładanie rąk. Ta forma dotyku dostarcza energii, relaksuje i przywraca równowagę. W dodatku poprzez delikatne pobudzenie sfer refleksyjnych wspomaga czynność narządów wewnętrznych.

Piąta zasada Hipokratesa to w najprawdziwszym tego słowa znaczeniu zalecenie terapeutyczne, które pozwala powrócić do naturalnego rytmu życia. Nawet jeśli w codziennym pośpiechu nie zawsze jest to możliwe, warto o tym pomyśleć. Gdy już podejmiemy decyzję, znajdzie się sposób, by przynajmniej częściowo stosować się do zasad Hipokratesa.

Odtruwanie – czy to w ogóle możliwe?

Przedstawiciele medycyny klinicznej, szczególnie z kręgów uniwersyteckich, często prezentują następujący punkt widzenia.

„Odtruwanie" to całkowicie przestarzałe, prymitywne i bezsensowne pojęcie, ponieważ w organizmie nie występują trucizny. Nie ma też żadnych „odpadów", a zatem wszelkie twierdzenia specjalistów od medycyny naturalnej i alternatywnej są anachroniczne i nieuzasadnione. Służą tylko wzbudzeniu poczucia niepewności u pacjentów. Tak zwane kuracje oczyszczające to tylko sposób na wyciągnięcie pieniędzy, w dodatku bywają niebezpieczne, więc należy głośno ostrzegać przed podobnymi zabiegami.

Postawmy jednak następujące pytanie. Dlaczego właściwie przeprowadza się dializy przy ograniczonej czynności nerek? Chwila „ciszy" to typowa reakcja rozmówcy. Oczywiście dializę przeprowadza się, bo inaczej pacjent zmarłby z powodu nadmiaru końcowych produktów przemiany materii, które trzeba usunąć. Potocznie owe produkty przemiany materii określane są jako „trucizny" i „odpady". Komu to przeszkadza? Ortopedzi mówią przecież o „zużyciu stawów", chociaż chodzi o żywą strukturę, a nie o zjechane klocki hamulcowe.

2

Zabiegi oczyszczające

Pojęcie „zabiegu oczyszczającego" kojarzone jest zwykle z wiedeńskim lekarzem Bernhardem Aschnerem. To on w pierwszej połowie XX wieku odkrył na nowo w znacznym stopniu zapomniane nauki Hipokratesa. Przez stulecia ważnymi zabiegami terapeutycznymi były przede wszystkim puszczanie krwi, stawianie baniek, przykładanie plastrów na pęcherze (plastry kantarydynowe), terapia Baunscheidta, przystawianie pijawek i powodowanie wymiotów. Dziś niektóre z tych metod – na przykład powodowanie wymiotów – stosuje się tylko w wyjątkowych sytuacjach, natomiast zupełnie nowe możliwości dają dietetyka, leki roślinne i nowoczesna homeopatia.

Diety

Choć trudno w to uwierzyć, właściwe odżywianie również oczyszcza organizm. Zwłaszcza w czasach, gdy jemy za dużo i ruszamy się za mało, każdy powinien uświadomić sobie, że nie chodzi o to, „czego mi brakuje" i „czego powinienem jeść więcej", by uniknąć objawów niedoboru. Zdrowie zależy głównie od celowej rezygnacji z produktów, które nie są niezbędne.

W odniesieniu do nowoczesnych zaleceń dietetycznych oznacza to przede wszystkim konsekwentne ograniczenie tłuszczów zwierzęcych, zwierzęcego białka oraz krótkołańcuchowych węglowodanów w formie cukru i słodyczy. Zamiast tego należy w większej ilości spożywać pełnowartościowe tłuszcze roślinne z wysoką zawartością prostych nienasyconych kwasów tłuszczowych, takie jak oliwa i olej rzepakowy, oraz tłuszczów z wysoką zawartością kwasów tłuszczowych omega 3, na przykład w postaci oleju lnianego.

Warto wiedzieć

Pożywienie bogate w substancje balastowe

Pokarmy powinny zawierać dużo substancji balastowych. Obecnie spożywamy znacznie mniej substancji balastowych niż poprzednie pokolenia. Spożycie warzyw strączkowych w porównaniu z rokiem 1900 spadło do jednej dwudziestej ówczesnego poziomu.

Substancje balastowe nie tylko pobudzają czynność jelit, lecz prawdopodobnie chronią przed rakiem jelit, a także wiążą trujące substancje i pomagają przywrócić właściwy poziom cholesterolu. W dodatku stanowią pełnowartościowe pożywienie dla zdrowych bakterii jelitowych, bez których nie może sprawnie funkcjonować układ odpornościowy.

Dziś często mówi się o diecie śródziemnomorskiej jako smacznej formie odżywiania, która spełnia wyżej wymienione kryteria. Należy jednak pamiętać, że tak zwana dieta śródziemnomorska odpowiada kuchni śródziemnomorskiej sprzed 40 lat. Niestety obecna kuchnia śródziemnomorska nie jest tym, czym była. Również w niej zaczynają dominować gotowe produkty, co nie gwarantuje odpowiedniej ilości świeżych, pełnowartościowych składników.

Ze względów ekologicznych warto wybierać produkty z tego rejonu, który oferuje podobne zalety odżywczo-fizjologiczne.

Wskazówka

W przypadku podwyższonego poziomu cholesterolu warto wypijać dziennie dwie łyżki kleiku owsianego (wymieszanego z płatkami lub sokiem). Pomaga to poprawić niekorzystne wyniki badań krwi.

Zmodyfikowana dieta śródziemnomorska

Dieta śródziemnomorska oznacza dietę rozpowszechnioną w krajach śródziemnomorskich przed ponad czterdziestu laty. Składa się ona w znacznym stopniu z sezonowych warzyw i owoców z dodatkiem wielu świeżych lub suszonych ziół oraz świadomie stosowanej oliwy. Mięso i wędliny spożywa się rzadko, a ryby i owoce morza często. Mleko i produkty mleczne podawane są regularnie, ale w niewielkich ilościach.

Obecnie próbujemy przenieść tę formę diety na warunki środkowoeuropejskie. Ze względów ekologicznych powinniśmy wybierać nie tylko typowo południowe gatunki owoców i warzyw, ale przede wszystkim rodzime produkty sezonowe. Mięso powinno pochodzić od zwierząt hodowlanych. Przepisy tego typu spotyka się rzadziej, ponieważ są bardziej znane niż ich wegetariańskie odpowiedniki.

W suplemencie (patrz strona 124 i dalsze) znajduje się jadłospis, który stanowi podstawę do samodzielnych eksperymentów. Wszystkie posiłki można zmieniać zgodnie z indywidualnymi upodobaniami. Śniadania podano jako alternatywę, zatem nie trzeba codziennie przygotowywać innego dania.

Nieco intensywniej – dieta Wendta bez białka zwierzęcego

Lothar Wendt, profesor medycyny z Frankfurtu, w latach siedemdziesiątych i osiemdziesiątych XX wieku stwierdził, że nadmiar zwierzęcego białka prowadzi do zagęszczenia krwi, zanieczyszczenia tkanki łącznej i arteriosklerozy. Dzieje się tak przede wszystkim dlatego, że współczesny człowiek, który prowadzi siedzący tryb życia, nie może odpowiednio „rozpracować" pochłanianej ilości białka. Wendt zaleca zatem następujący harmonogram spożycia białek zwierzęcych:

raz w tygodniu, przez tydzień w miesiącu, przez miesiąc w roku.

Odstawienie białka zwierzęcego nie jest postem w powszechnym tego słowa znaczeniu, lecz typowo wegańską dietą bez jakichkolwiek produktów zwierzęcych. Taka dieta ma bez wątpienia wiele zalet w przypadku licznych chorób cywilizacyjnych, zwłaszcza zaburzeń przemiany materii, nadwagi, schorzeń reumatycznych i chorób krwiobiegu. W określonych przypadkach, szczególnie wobec poważnego ryzyka choroby serca oraz przy budowie pykniczno-atletycznej, powinien być to stały sposób odżywiania.

Jednak dla szczuplejszego typu astenicznego nie jest to dieta korzystna, ponieważ kryje niebezpieczeństwo niedoboru witaminy B12 oraz kwasu foliowego. W dodatku jako dieta „chłodząca" nadaje się dla spoconego, cierpiącego na nadciśnienie pyknika, ale nie dla ciągle zmarzniętej, szczupłej osoby o niskim ciśnieniu.

Informacja

Odstawienie białek zwierzęcych powoduje zmniejszenie zapasów szczególnie na obszarze ścian naczyń krwionośnych i w tkance łącznej.

„Chłodzące surówki"

Osoby aktywne zawodowo i często podróżujące pytają zwykle, jaka szybka forma posiłków jest korzystna i nie obciąża przemiany materii. W tym przypadku sprawdza się dieta oparta na surowiźnie połączona z dniami, gdy jemy tylko owoce lub sałatki. Można powiedzieć, że to zaostrzona forma diety bez białka zwierzęcego.

Z powodu „chłodzącego" działania surowizny warto ją jeść przede wszystkim w cieplejszych porach roku. Poprzez całkowite odstawienie produktów zwierzęcych i gotowanych oraz spożycie dużej ilości substancji balastowych odciążamy przemianę materii, znacząco redukujemy ilość alergenów w organizmie i poprawiamy przepływ krwi. Ten typ diety zalecany jest zwłaszcza typom pykniczno-atletycznym wykazującym dużą potliwość.

W suplemencie (strona 124 i dalsze) znajdziesz szczegółowy plan odżywiania.

Ciekawe odkrycie

Wiele osób twierdzi, że dzięki surowiźnie można wyleczyć schorzenia reumatyczne, alergie i inne choroby cywilizacyjne. Rzeczywiście jest to możliwe, ponieważ dzięki silnemu odciążeniu przemiany materii, a jednocześnie przywróceniu wewnętrznej równowagi organizm zaczyna intensywnie wydalać końcowe produkty przemiany materii. Trwała dieta oparta na surowiźnie zalecana jest jednak tylko w wyjątkowych przypadkach. Oprócz niedoborów, szczególnie witaminy B, żelaza i kwasu foliowego, grozi ona nasilonymi procesami rozkładu w przewodzie trawiennym, co powoduje nie tylko subiektywne dolegliwości. Doktor Karl Pirlet z Frankfurtu odkrył, że w pewnych okolicznościach procesy rozkładu mogą prowadzić do ponownego zatrucia całego organizmu. Opisano nawet przypadki, w których z powodu alkoholowych procesów rozkładu nieprzyswajalnych surowych produktów podniósł się wyraźnie poziom alkoholu we krwi, co uniemożliwiało prowadzenie pojazdu. Jeden lub kilka tygodni diety opartej na surowiźnie pomaga usunąć typowe zjawiska cywilizacyjne takie jak nadciśnienie, cukrzyca czy zwyrodnienie stawów.

Wskazówka

Jedzenie samej surowizny jeden dzień w tygodniu może być bardzo korzystne.

Dni odpoczynku

Dla kogo dieta oparta na surowiźnie jest zbyt intensywna, powinien spróbować tzw. dni odpoczynku – dni ziemniaczanych, dni ryżowych lub warzywnych. Na dzień ziemniaczany przygotowujemy 800 g ziemniaków w mundurkach i podajemy z odrobiną masła lub oliwy i ziołami (bez białek zwierzęcych, również bez twarogu).

Alternatywą jest dzień ryżowy – 180 g ryżu gotujemy bez soli i dzielimy na trzy posiłki. Aby uzyskać lepszy smak, podajemy go z rozcieńczonym kompotem z kilograma jabłek (niesłodzonym), duszonymi pomidorami lub150 g duszonych warzyw.

Zarówno ziemniaki, jak i ryż silnie odwadniają. Już około dwadzieścia lat temu doktor Ludwig Walb, jeden ze słynnych niemieckich dietetyków, zaobserwował w rezultacie wyraźną poprawę u pacjentów o słabym sercu. Dzięki intensywnemu wydzielaniu płynów ułatwiona zostaje praca serca, co znacznie wspomaga jego działanie.

Oczywiście dzień surówek lub owoców także zalicza się do dni odpoczynku.

Najsilniejszy zabieg oczyszczający – zdrowotny post metodą Buchingera

Już samo ograniczenie pokarmów zwierzęcych obniża ilość alergenów i odciąża przemianę materii, zaś jeszcze silniej działa odstawienie pokarmów w przypadku leczniczego postu. Pacjent otrzymuje w ciągu dnia 250 kalorii w formie soków warzywnych i wywarów, do tego ziołową herbatę i wodę mineralną o niskiej zawartości soli. W rezultacie organizm zostaje zmuszony do sięgnięcia do zgromadzonych zapasów, aby pokryć zapotrzebowanie na energię. W pierwszych godzinach wykorzystuje glikogen, zmagazynowany cukier, natomiast z czasem zaczyna uzyskiwać energię poprzez spalanie kwasów tłuszczowych. Prowadzi to nie tylko do utraty wagi, ale – co znacznie ważniejsze – do intensywnego oczyszczenia organizmu.

Zarzut, że spalane są jednocześnie ważne struktury białkowe, co grozi poważnymi komplikacjami (sercowymi), wydaje się niepoparty praktyką – w przeciwnym wypadku nie byłoby możliwe przeprowadzanie wielotygodniowych kuracji postnych.

Warto wiedzieć

Post to nie głodówka

Post to ćwiczenie, do którego trzeba przygotować się duchowo. Właściwie stosowany pomaga osiągnąć poprawę lub odzyskać zdrowie zwłaszcza przy złożonych dolegliwościach z licznymi schorzeniami cywilizacyjnymi występującymi jednocześnie, na przykład przy schorzeniach reumatycznych i zaburzeniach przemiany materii.

Rzeczywiście, szczególnie w pierwszych dniach postu następuje spalenie zmagazynowanych białek podobnie jak w przypadku odstawienia białek zwierzęcych i diety opartej na surowiźnie, jedynie znacznie szybciej i intensywniej.

Czas trwania postu w zależności od dolegliwości i sposobu przeprowadzania kuracji wynosi przynajmniej tydzień, a w warunkach stacjonarnych z reguły trzy tygodnie. W ekstremalnych przypadkach zaleca się kurację postną trwającą do 75 dni.

Biologiczne metody wspomagające

Aby wspomóc procesy oczyszczania organizmu, stosuje się metody biologiczne. Najważniejszą jest intensywne **oczyszczenie jelit**. Można to osiągnąć poprzez codzienne stosowanie gorzkiej soli lub soli glauberskich (1 łyżeczka wymieszana z wodą) lub przez dodatkowe płukanie jelit bądź kolonohydroterapię (patrz niżej).

Im intensywniejsze oczyszczanie jelit, tym szybciej można pokonać tak zwany kryzys, czyli występującą w czasie postu fazą subiektywnego osłabienia i przejściowego nasilenia objawów.

W zakresie hydroterapii godne polecenia są zwłaszcza kąpiele o rosnącej temperaturze oraz naprzemienne obmywanie stóp oraz ramion. Sprawdziły się zabiegi takie jak polewanie kolan strumieniem o niskim ciśnieniu, zanurzanie ramion w stopniowo podgrzewanej wodzie przy chorobie wieńcowej, kąpiel na siedząco w zmiennej temperaturze przy schorzeniach dolnej części ciała lub pełna kąpiel z dodatkami według indywidualnych potrzeb.

Ostrożnie

W przypadku stanów zapalnych takich jak częste zapalenie pęcherza lub prostaty stosując kąpiele należy pomijać fazę zimną.

Dawniej twierdzono, że poszczący powinien odpoczywać. To zalecenie prowadziło do silnego zaniku mięśni. Celem jest jednak spalenie tkanki tłuszczowej i zachowanie muskulatury. Dlatego dziś poszczący nie tylko może, ale wręcz powinien dużo się ruszać. Dopuszczalne są nawet prawdziwie sportowe wyczyny. Zaleca się gimnastykę grupową i indywidualną, ćwiczenia oddechowe i codzienny, przynajmniej 10-15 minutowy trening na ergometrze lub 20-30 minutowe „energiczne" spacerowanie („walking").

W wyspecjalizowanych klinikach można przeprowadzać dodatkowe zabiegi fizjoterapeutyczne – **drenaż limfy** dla pobudzenia odtruwania tkanek, **masaże stref refleksyjnych stóp** dla przywrócenia równowagi wegetatywnej i wzmocnienia funkcji narządów, **masaż tkanki łącznej** dla odruchowego pobudzenia organów wewnętrznych, **masaż akupunkturowy według Penzela** dla wyrównania poziomu energii w ujęciu tradycyjnej medycyny chińskiej oraz klasyczne masaże dla pobudzenia ukrwienia.

Ważne: dni początkowe i końcowe

Na początku postu warto przeprowadzić tzw. dni odpoczynku lub dni surowizny. Już wtedy można stosować gorzką sól i poddać się płukaniu jelit.

Po zakończeniu postu powrót do normalnego odżywania zajmuje z reguły trzy dni. Pierwszego dnia jemy zupę ziemniaczaną, ewentualnie z duszonym jabłkiem. Drugiego dnia można zjeść zupę orkiszową oraz ziemniaczaną z duszoną marchwią. Od trzeciego dnia spożywamy lekkostrawne pieczywo, na przykład pieczywo chrupkie lub graham z roślinnymi dodatkami. Im dłużej trwa post, tym ostrożniej należy wracać do normalnej diety.

W suplemencie (strona 1524 i dalsze) znajdują się propozycje posiłków na trzy dni po zakończeniu postu.

Uwaga

Również po zakończeniu postu należy przyjmować środki przeczyszczające tak długo, aż powróci normalny stolec. W tym okresie organizm zużywa płyny z jelit, więc bez środków przeczyszczających może dojść do zaparć.

Post ambulatoryjny czy stacjonarny – co lepsze?

Żelazna zasada brzmi: kto przeprowadza post profilaktycznie lub przy lekkich dolegliwościach, może pościć ambulatoryjnie pod kierownictwem doświadczonego specjalisty lub w ramach grupy wsparcia. Leczenie złożonych stanów chorobowych, szczególnie związanych z zaburzeniami przemiany materii takimi jak cukrzyca lub choroby serca i krwiobiegu, przynajmniej za pierwszym razem wymaga przeprowadzenia postu w warunkach stacjonarnych. Tylko wtedy zagwarantowana jest całodobowa specjalistyczna opieka.

Wskazania i przeciwwskazania dla leczniczego postu

Wskazania:

- profilaktyka,
- podatność na infekcje,
- okres po leczeniu nowotworów,
- astma,
- zwapnienie naczyń wieńcowych,
- nadciśnienie (hipertonia),
- zatwardzenia,
- zespół jelita drażliwego,
- zapalne schorzenia jelit takie jak *colitis ulcerosa* i choroba Leśniowskiego-Crohna (nie podawać soków i solnych środków przeczyszczających, tylko orkiszowy kleik),
- schorzenia wątroby, zwłaszcza otłuszczona wątroba,
- dolegliwości kobiece, na przykład dolegliwości związane z menopauzą, endometrioza, bezdzietność nieuwarunkowana organicznie,
- cukrzyca (*diabetes mellitus* typ II), artretyzm, wysoki poziom cholesterolu,
- świerzbiączka, łuszczyca (*psoriasis*),
- alergie,
- przewlekłe zapalenie stawów, choroby tkanki łącznej,
- choroba zwyrodnieniowa stawów,
- migreny, napięciowe bóle głowy,
- zaburzenia samopoczucia takie jak chroniczne zmęczenie, bezsenność,
- lekkie formy depresji.

Przeciwwskazania:

- poważne schorzenia nowotworowe,
- silna niedowaga,
- gruźlica,
- poważne zaburzenia rytmu serca,
- niewydolność nerek z koniecznością dializ,
- ciąża,
- *diabetes mellitus* typ I u młodzieży,
- nadczynność lub niedoczynność tarczycy,
- psychozy, schorzenia schizofreniczne (nawet przy dłuższym braku objawów).

Pomoc dla wątroby

Przez dziesiątki lat w kręgach medycznych w stosunku do schorzeń wątroby panowało swego rodzaju nihilistyczne nastawienie i poza zaleceniem, by unikać alkoholu i jeść dużo twarogu, na pytania pacjentów odpowiadano wzruszeniem ramion. Współczesna medycyna naturalna zna jednak szereg skutecznych środków i zabiegów.

Karczochy

Korzystny wpływ na wątrobę, podobnie jak ostropest plamisty, mają karczochy (*Cynara scolymus*). Pobudzają one także wydzielanie żółci. Warto zatem przyjmować preparaty z karczochów wtedy, gdy chcemy pobudzić wydzielanie i przepływ żółci.

Dotyczy to na przykład pacjentów ze skłonnościami do zaparć. Z kolei osoby ze skłonnościami do skurczów w okolicy woreczka żółciowego bądź kolek często reagują nasileniem objawów. Dlatego w takich przypadkach doradzana jest ostrożność.

Jaskółcze ziele

Jaskółcze ziele (*Chelidonium majus*) przez lata stosowano jako typowy środek wspomagający przepływ żółci i rozkurczający drogi żółciowe. Obecnie liczne preparaty z jaskółczego ziela zostały wycofane ze sprzedaży.

Kurkuma

Kurkuma (*Curcuma longan*) również działa oczyszczająco i przeciwskurczowo na drogi żółciowe, a w dodatku ma działanie przeciwzapalne. Istnieje wiele kompleksowych preparatów roślinnych, które zawierają między innymi kurkumę.

Mniszek lekarski

Mniszek lekarski (*Taraxacum officinale*) działa pobudzająco na wydzielanie soków żółciowych. Odnotowano zwiększenie ich ilości o nawet 40 procent. Pobudzone zostają także nerki, więc zwiększa się produkcja moczu.

Inne metody pomocnicze

Poza środkami roślinnymi pomagają metody fizyczne. Proste **okłady wątroby** pobudzają ukrwienie tego narządu i w ten sposób wspomagają „odtruwanie" organizmu. Przeprowadzane wieczorem dodatkowo pomagają zasnąć.

Informacja

Nie zapominajmy – negatywne emocje osłabiają wątrobę! Stąd tradycyjna medycyna chińska w przypadku depresji i wyczerpania zaleca wspomaganie wątroby dla wzmocnienia „chi".

Alternatywą jest **naświetlanie podczerwienią** – co wieczór 15–10 minut.

Terapie dietetyczne polegają oczywiście na unikaniu alkoholu, a przede wszystkim unikaniu wieczorem posiłków bogatych w białko zwierzęce. Korzystniejsze są potrawy z ziemniaków i warzyw lub makarony.

Jak wzmocnić nerki

Pomijając wyżej wymienione preparaty roślinne, ważną rolę odgrywa odżywianie. Nerkom nie służy nadmiar białka zwierzęcego i soli. Oparta na pokarmach roślinnych, bogata w zasady dieta odciąża nerki.

Typowe zalecenie, by w przypadku chorób nerek dużo pić, często nie jest dokładniej wyjaśniane. Co się przez to rozumie? Czy należy na przykład pić piwo? Można przecież wpaść na pomysł, że piwo to dobry środek płuczący. Nie powoduje on jednak oczyszczenia organizmu, lecz osmotyczne wydzielanie moczu. Oznacza to, że przy odpowiednio dużej dawce alkoholu w rzeczywistości następuje wysuszenie organizmu, ponieważ zanika woda w tkankach. Zauważamy to po pragnieniu odczuwanym następnego ranka. Organizm instynktownie domaga się uzupełnienia wydalonych płynów.

Woda to najlepszy środek oczyszczający.

Jakie napoje oczyszczające stosować?

Alkohol zdecydowanie nie jest właściwym napojem oczyszczającym. Czy alternatywę stanowi mleko? Nie, ponieważ mleko z powodu wysokiej zawartości białka jest pokarmem, a nie napojem, a już na pewno nie takim, którym można płukać nerki.

Soki owocowe? Zawierają znaczne ilości kwasów owocowych, które nie wpływają dobrze na wrażliwe przewody pokarmowe. Mogą doprowadzać do wzdęć i zaburzeń żołądkowych. W dodatku alergicy, osoby cierpiące na świerzbiączkę i schorzenia reumatyczne często reagują na soki owocowe nasileniem objawów. Dlatego soki należy rozcieńczać wodą przynajmniej w stosunku 1:1.

Najlepszym napojem jest bez wątpienia woda źródlana. W naturalnym stanie ma wszystkie właściwości elektromagnetyczne, które cechują zdrową wodę. Optymalny napój oczyszczający nerki musi transportować końcowe produkty przemiany materii, które powinny zostać wydalone. Tą cechę ma oprócz wody źródlanej woda wysokoomowa. Jest to uboga w minerały woda, która wykazuje wysoki opór elektryczny.

Warto wymienić dwa rodzaje wody. Po pierwsze leczniczą wodę głębinową. Chodzi tu o specjalne głębokie źródła o niewielkiej zawartości składników mineralnych. Niestety wiele tych źródeł znanych jest jedynie regionalnie. Niektórzy mogą mieć wątpliwości, czy źródła te są tak potężne, by wodę z nich można było w ogromnych ilościach eksportować na cały świat. Każdy powinien sam wyrobić sobie opinię na ten temat.

Warto wiedzieć

Nie każda woda mineralna jest korzystna

Liczne wody mineralne, które pijemy tak bezkrytycznie, nie nadają się do oczyszczania nerek. Dotyczy to szczególnie tych wód, które wykazują wysoką zawartość soli kuchennej (NaCl). Są to wspaniałe wody lecznicze dla odcinka żołądkowo-jelitowego, które należy pić w temperaturze pokojowej małymi łykami – najlepiej przechadzając się na świeżym powietrzu – jednak nie nadają się do oczyszczania nerek.

Alternatywą do picia kupnej wody jest własna jej produkcja na zasadzie odwróconej osmozy. Wodę przepuszczamy przez specjalne filtry. W ten sposób zostaje oczyszczona, a wszystkie szkodliwe elementy, w tym składniki mineralne, usunięte. Dzieje się to bez podgrzewania. Podczas gdy zwykła woda wykazuje opór kilkuset omów, a woda po procesie odwrotnej osmozy ponad trzydziestu tysięcy. Wada: proces wymaga znacznego zużycia energii. Z pięciu litrów wody uzyskujemy zaledwie litr wody osmotycznej. W dodatku filtry mogą ulec zanieczyszczaniu, więc konieczna jest dokładna konserwacja.

Zwracajmy uwagę na dane przedstawiane przez producentów wody mineralnej. Wielu z nich stosuje zabieg polegający na tym, że zamiast w miligramach, zawartość składników mineralnych podawana jest w gramach. W ten sposób liczby wydają się tysiąckrotnie mniejsze. Wielu klientów nie zauważa tego i kupuje „niewłaściwą" wodę mineralną.

Głębinowa woda lecznicza idealnie nadaje się do oczyszczania jelit. Ze względu na działanie wypłukujące może jednak spowodować nieco twardszy stolec, co przyczynia się do zatwardzeń. Dowodzi to, że nawet proste pojęcie „woda mineralna" może mieć bardzo różne znaczenia i zastosowania.

Lubczyk i natka pietruszki. Pracę nerek pobudzają także lubczyk i natka pietruszki. Pietruszka oprócz działania odwadniającego ma również działanie spędzające płód, więc nie należy jej stosować w czasie ciąży.

Jagody jałowca. Pobudzają ukrwienie nerek i wydzielanie moczu. Możliwe są również działania uszkadzające nerki, więc stosowanie preparatów z jałowca należy ograniczyć do 5-6 tygodni. Znane preparaty to Roleca® 50 mg i Nierentee® zawierający jałowiec w połączeniu z liśćmi brzozy, ortosyfonem i olejkiem z kopru włoskiego.

Inne preparaty roślinne.

Inne pobudzające pracę nerek rośliny to nawłoć, liście brzozy, korzeń wilżyny i liście otosyfonu. Wymienione rośliny są składnikami licznych homeopatycznych preparatów łączonych.

Sprawdzone są również kuracje oparte na sokach wyciskanych z roślin (np. sok z brzozy). Jedną łyżkę mieszamy z połową szklanki wody i pijemy przed posiłkami trzy razy dziennie przez kilka tygodni. Inne rośliny o stosunkowo słabym działaniu odwadniającym to pokrzywa, strąki fasoli, perz i skrzyp.

Współczesna homeopatia

Oprócz preparatów roślinnych pobudzeniu przemiany materii służą w medycynie naturalnej także proste i złożone środki homeopatyczne.

Stosuje się je szczególnie przy schorzeniach skóry, alergiach, dolegliwościach reumatycznych i zespołach wyczerpania, aby wspomóc narządy wewnętrzne, a także wtedy, gdy badania kliniczne nie dają pełnego obrazu choroby.

Poszczególni producenci leków oferują szeroki wybór sprawdzonych preparatów.

Hydroterapia

Obecnie wiele osób wierzy w skuteczność zabiegów z odległych rejonów świata. Popularność tradycyjnej medycyny chińskiej, medycyny ajurwedyjskiej z Indii i medycyny tybetańskiej jest w pełni uzasadniona. Skuteczność liczących niekiedy tysiące lat metod nie budzi wątpliwości. Wszystkie zabiegi mają na celu przywrócenie równowagi organizmu, która jest podstawą zdrowia, poprzez odciążenie przemiany materii i wewnętrzną regulację.

Jeśli porównamy metody rodzimej medycyny naturalnej z metodami dalekowschodnimi, odkryjemy zaskakujące podobieństwa. To dowód, że leczenie oparte na doświadczeniu w różnych kulturach prowadzi do porównywalnych rezultatów.

Warto wiedzieć

Sprawdzone metody

Tradycyjna medycyna naturalna zapewnia szeroki wybór wyjątkowych i sprawdzonych metod. Szkoda, że obecnie tej wielkiej tradycji zagrażają europejskie regulacje i ograniczenia. Winę za to ponoszą nie tyle „brukselscy biurokraci", co posłowie, którzy nie rozumieją znaczenia tradycyjnej medycyny i nie starają się jej utrzymać także w ramach wspólnoty europejskiej. Wobec wysiłków badawczych w Stanach Zjednoczonych w zakresie medycyny komplementarnej, można zakładać następujący scenariusz. Naturalne metody coraz bardziej zapominane i niedoceniane w Europie powrócą kiedyś pod inną nazwą w Stanach Zjednoczonych. Ci, którzy je niegdyś zwalczali, przyjmą je wtedy z entuzjazmem i będą argumentować, że w zasadzie zawsze popierali medycynę naturalną i kompleksowe metody terapeutyczne. Jednak kierunek ten nie był udokumentowany naukowo. Ponieważ sytuacja zmieniła się dzięki badaniom w Stanach Zjednoczonych, należy oczywiście poprzeć szerokie zastosowanie naturalnych metod...

Kuracja Kneippa

W medycynie naturalnej ważną rolę odgrywa woda. Należy tu wspomnieć między innymi o terapii Kneippa.

Już w 1886 roku katolicki ksiądz Sebastian Kneipp w książce „Moje leczenie wodą" opisał szeroki wachlarz obmywań, płukań, polewań, kąpieli całego ciała lub poszczególnych członków, częściowo w zimnej, częściowo w ciepłej wodzie. Metody te opierają się na wymianie ciepła. Najważniejszą rolę odgrywają trzy czynniki: wielkość poddanego bodźcom obszaru ciała, temperatura wody oraz oczywiście czas trwania zabiegu.

Zabiegi z zastosowaniem zimnej wody, które z reguły trwają tylko kilka sekund lub minut, prowadzą do silnego zaczerwienienia skóry, co jest oznaką pobudzonego ukrwienia. W ten sposób ukrwiona zostaje nie tylko określona część ciała, ale także, poprzez liczne połączenia odruchowe, dochodzi do ogólnego pobudzenia krwiobiegu i narządów wewnętrznych. Obserwuje się również efekty psychowegetatywne. Każdy, kto przeprowadził intensywną kurację Kneippa, potwierdzi, jak pozytywny wpływ ma ona na ogólny nastrój.

Warto wiedzieć

Stosowanie zimnej wody

Zimną wodę stosuje się przede wszystkim do polewania ud i kolan, w pojedynczych przypadkach do polewania piersi, pleców lub całego ciała. Bardzo ważne: zimny prysznic należy stosować tylko na wcześniej ogrzane ciało. Można to osiągnąć poprzez wysiłek fizyczny, np. gimnastykę, lub dłuższe ogrzewanie ciepłą wodą.

Zgodnie z zasadą Kneippa nie należy spryskiwać ciała, lecz otaczać odpowiedni obszar wodnym płaszczem bądź obmywać pod szerokim strumieniem z grubego węża (bez dużego ciśnienia). Woda dociera do ciała łagodnie. W przypadku ekstremalnych temperatur zaczynamy od peryferii i prowadzimy strumień do centrum tułowia. Leczniczo stosuje się jeden do dwóch zabiegów przez 3–6 tygodni. Istnieją również liczne wskazania dla kuracji dłuższej, trwającej nawet kilka miesięcy.

Kilka przykładów zastosowania:

- Żylaki – sprawdza się polewanie ud dwa razy dziennie.
- Choroba obwodowych naczyń krwionośnych na obszarze nóg – w tym przypadku nie stosuje się zimnej wody, lecz tylko ciepłą. Warto przeprowadzić kąpiel stóp w narastającej temperaturze – nogi wstawić do małej wanny napełnionej częściowo wodą o temperaturze 35°C. Powoli dodawać gorącą wodę. Rośnie zarówno temperatura, jak i poziom wody. W rezultacie występuje lepsze ukrwienie nie tylko na obszarze nóg, ale przez strefy refleksyjne także pozostałych części organizmu.
- Kąpiele częściowe i pełne o narastającej temperaturze pomagają szczególnie przy poważnych infekcjach, napięciu lub dokuczliwych bólach pleców. Poprzez odpowiednie dodatki do kąpieli można wzmocnić działanie kuracji. Rozmaryn pobudza ukrwienie i napędza poty. Wyciąg z igieł świerku wspomaga wytwarzanie białych ciałek krwi i w ten sposób wzmacnia odporność. Przy dolegliwościach reumatycznych zalecane są kwiaty łąkowe. Osoby z chorobami skóry powinny stosować kleik pszenny lub serwatkę. Ogólne rozluźnienie zapewnia lawenda, która ma przyjemny zapach w odróżnieniu od pachnącego bardzo lekarsko, ale równie skutecznego kozłka.
- Jednym z najsłynniejszych domowych środków jest owijanie łydek. Stosuje się go dla obniżenia gorączki przy infekcjach. Sprawdza się u chorych ze wszystkich grup wiekowych. Na wysokości poniżej kolana aż do kostki nakłada się płótno, które wcześniej zanurzamy w wodzie o temperaturze 20-25°C. Woda nie powinna być zatem lodowato zimna. Okład trzymamy 10-20 minut. W zależności od wysokości gorączki po krótkich przerwach można powtórzyć zabieg. Zimnych okładów nie należy stosować przy wyziębieniu ciała. Owijanie łydek jest niewskazane również w przypadku dreszczów i zaburzeń krwiobiegu!
- Okład Prießnitza polega na przykładaniu do ciała płótna nasączonego zimną wodą lub owijania w nie członków. Na wierzch nakłada się suche płótno lub ręcznik frotte, a całość przykrywa kocem. W tym stanie pacjent odpoczywa przez godzinę. Po około 15 minutach dzięki ciepłocie ciała również okład odczuwany jest jako ciepły. Jeśli nie, można zapewnić dodatkowe ciepło termoforem.

Formy okładu Prießnitza

Dziś nadal tak się to robi.

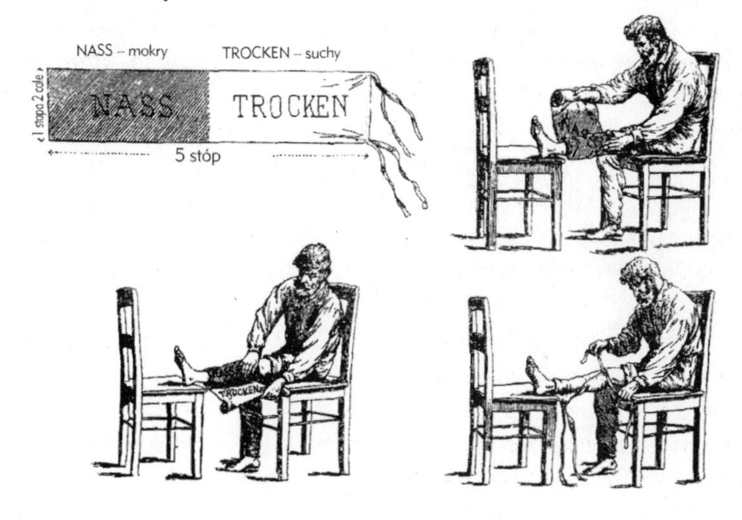

Warto wiedzieć

Medyczni laicy

Priessnitz pochodził z Sudetów Wschodnich i nie był lekarzem, lecz, jak to często bywa w lecznictwie naturalnym, medycznym laikiem. W sąsiedniej miejscowości na Śląsku na rzecz dobra metod naturalnych działał Johann Schroth, kolejny laik. W przeciwieństwie do Priessnitza leczył ciepłem i zalecał wilgotne, ciepłe okłady wywołujące poty. Ciepło i wilgoć pobudzają wydalanie przez skórę. Dzięki gruczołom potnym i łojowym skóra może wydalić do sześciuset różnych substancji chemicznych. Należą do nich nie tylko końcowe produkty przemiany materii takie jak kwas moczowy i składniki kwasów tłuszczowych, ale także bakterie, metale ciężkie i substancje, które występują na przykład w dymie papierosowym.

Sauna

W saunie temperatury wynoszą między 80 a 120°C przy wilgotności powietrza od 10 do 20 procent. Przez tak zwane polewanie wilgotność może wzrosnąć do 25 procent i więcej. Sauna pobudza ukrwienie całego organizmu. Obniża także ciśnienie rozkurczowe. Powoduje to nasilone ukrwienie skóry i wydzielanie potu. Typowe wskazania dla korzystania z sauny stanowią, oprócz osłabienia przemiany materii i wydalania, schorzenia zwyrodnieniowo-reumatyczne, napięcia mięśni, niedostateczna odporność, zaburzenia ukrwienia, zaburzenia wegetatywne i stres.

Informacja

Wizyta w saunie jest możliwa również przy umiarkowanym nadciśnieniu. Poprzez obniżenie oporu naczyń krwionośnych i wydalaniu przez skórę obniża się ciśnienie krwi.

Przeciwwskazanie dla korzystania z sauny stanowi jedynie wyjątkowo wysokie ciśnienie przekraczające 200 mm Hg skurczowo i wyraźnie ponad 100 rozkurczowo oraz wyjątkowo niskie ciśnienie poniżej 100 mm Hg skurczowo. To samo dotyczy poważnych schorzeń zapalnych, zakrzepów, nadczynności tarczycy lub nowotworów. Do tej kategorii należą również skurcze na przykład przy epilepsji.

W przypadku żylaków można odwiedzać saunę, owijając chore miejsca wilgotnym, zimnym ręcznikiem.

Należy dbać o uzupełnianie wypoconego płynu pomiędzy wejściami do sauny. W tym celu nadaje się szczególnie woda mineralna, ale także chłodna herbata ziołowa.

Pierwszy pobyt nie powinien przekraczać 12 do 15 minut. Etap chłodzenia powinien trwać 15 minut. Kolejne pobyty są z reguły krótsze, często tylko po 5–10 minut. Na zakończenie należy odpoczywać przez 15–30 minut.

Uwaga

Irlandzko-rzymska kąpiel parowa jest niewskazana przy poważnych schorzeniach serca i astmie.

Błędy przy korzystaniu z sauny

Korzystając z sauny należy unikać następujących błędów:

❖ Nagłe wstawanie z pozycji leżącej lub siedzącej może prowadzić do obniżenia ciśnienia krwi, a przez to do problemów z krążeniem i mdłości.

❖ Nie należy korzystać z sauny po obfitych posiłkach – grozi to spadkiem ciśnienia.

❖ Przed pobytem w saunie i w jego trakcie nie można pić alkoholu.

❖ Zbyt długie lub intensywne polewanie zimną wodą po pobycie w saunie może być przyczyną zapaści szczególnie u szczupłych osób o niskim ciśnieniu. Dlatego powinny one stosować polewanie kolan lub ud. Zimny prysznic zalecany jest osobom atletyczno-pyknicznym z nadmiarem wewnętrznego ciepła i o mocnej budowie.

❖ Przy schorzeniach śluzówki takich jak przewlekłe zapalenie zatok lub oskrzeli doświadczenie uczy, że wyjątkowo suche powietrze w saunie fińskiej jest mniej korzystne niż irlandzko-rzymska kąpiel parowa, przy której wilgotność dochodzi do 100 procent.

Oczyszczanie jelit – moda czy podstawowa metoda leczenia wielu schorzeń?

Od około dwudziestu lat przede wszystkim w tradycyjnej medycynie naturalnej mówi się o tak zwanym „oczyszczaniu jelit". Pojęcie to – wyśmiewane przez lekarzy klinicznych – opisuje szereg metod, które służą optymalizacji funkcji jelit jako najważniejszego organu biorącego udział w przemianie materii i należącego do układu immunologicznego.

W zależności od początkowych dolegliwości, przy zmiennym stolcu lub zaparciach, a także przy towarzyszącym chorobom objawach takich jak zespoły wyczerpania, alergie, schorzenia reumatyczne i ogólna podatność na infekcje, warto gruntownie oczyścić jelita, na przykład przy pomocy **solnych środków przeczyszczających** takich jak sól gorzka, sól glauberska lub sól karlsbadzka. Substancje te przepłukują jelita i wspomagają wydzielanie żółci, co dodatkowo pobudza mięśnie jelitowe i ułatwia wypróżnienia. Kuracje oczyszczające przy pomocy solnych środków przeczyszczających można przeprowadzać przez 10–14 dni.

STOSOWANIE

Solne środki przeczyszczające

Rano lub wieczorem 1-2 łyżeczki mieszamy z ciepłą wodą i przykrywamy szklankę. Po dwunastu godzinach sól się rozpuści i połączy z wodą. Ze względów smakowych można dodać nieco cytryny. Nieprzyjemny słono-gorzki napój najlepiej wypić „jednym haustem".

Solne środki przeczyszczające nie są zalecane przy zapalnych schorzeniach żołądkowo-jelitowych takich jak wrzody na żołądku i dwunastnicy, zapalenia śluzówki żołądka, *Colitis ulcerosa* lub choroba Leśniowskiego-Crohna. Również kolki wątrobiane i zapalne schorzenia wątroby mogą stanowić przeciwwskazanie ze względu na wyżej opisane działanie pobudzające wydzielanie żółci. Przy częstych skurczach w prawej górnej części jamy brzusznej – nawet gdy wykluczone są kamienie żółciowe i zapalenia woreczka żółciowego – należy zrezygnować ze stosowania solnych środków przeczyszczających. Przy tego typu dolegliwościach określanych jako „dyskineza dróg żółciowych" środki te mogą wywoływać rodzaj kolek.

Kolonohydroterapia

W pewnych sytuacjach sprawdza się zwłaszcza oczyszczanie jelit „od dołu". Od ponad dwóch tysięcy lat lewatywa jest popularną metodą uwalniania organizmu od trucizn. Chłodna lewatywa stosowana przy wysokiej gorączce odciąża przemianę materii i obniża temperaturę, stanowi zatem wewnętrzny odpowiednik okładu łydek.

Już w czasach Hipokratesa schorzenia reumatyczne leczono między innymi lewatywami. Do czasu II wojny światowej „podwodne kąpiele jelit" były rozpowszechnione w licznych uzdrowiskach. Po wojnie metody te coraz bardziej popadały w zapomnienie, ponieważ nie odpowiadały wymogom higieny.

Od około dwudziestu lat poprzez nowoczesne płukanie jelit – kolonohydroterpię – można przeprowadzać delikatne, a zarazem intensywne oczyszczanie odpowiadające wszelkim wymogom higieny. Kolonohydroterapia to metoda bazująca na wodnych kąpielach jelit i osiągnięciach amerykańskiej agencji NASA.

Cele kolonohydroterapii

- Delikatne oczyszczenie jelita grubego z pozostałości kału (choć podważane, badania patologów wykazują, że w zagłębieniach jelita grubego można znaleźć liczne kamienie kałowe. W ekstremalnych przypadkach odkryto kamienie ważące łącznie 15 kilogramów).
- Pobudzenie ukrwienia błony śluzowej jelit (poprzez stosowanie wody o zmiennej temperaturze).
- Przywrócenie równowagi flory jelitowej (szczególnie ważne przy występowaniu drożdżaków).
- Pobudzenie refleksyjnych sfer jelitowych (Jelita są połączone z pozostałymi organami poprzez wegetatywne rozgałęzienia nerwowe. Ścisłe połączenia istnieją między jelitami a podbrzuszem oraz między jelitami a zatokami nosowymi).
- Ogólne pobudzenie przemiany materii i odtrucie organizmu.
- Wzmocnienie odporności.

Kuracja przeprowadzana jest przez terapeutę o odpowiednich kwalifikacjach. Jednocześnie stosuje się zabiegi fizjoterapeutyczne, na przykład masaże brzucha. Ponieważ wszystkie przyrządy są jednorazowego użytku, spełnione zostają wszystkie wymogi higieny.

Zabieg trwa około 50 minut. W zależności od przypadku stosuje się 3–6, a czasami 10 zabiegów w okresie 2–4 tygodni. Warto przeprowadzać 2–3 zabiegi w tygodniu. Przeprowadzane częściej mogą powodować podrażnienia błony śluzowej.

Ważne

W przypadku zbyt dużych przerw między kolejnymi zabiegami (jeden zabieg na dwa tygodnie) efekt oczyszczający nie występuje w pełni.

Ostatnio często słyszy się argument, że ta forma oczyszczania jelit dziesiątkuje naturalną florę jelitową i z tego powodu w pewnych okolicznościach bywa niebezpieczna. Rzeczywiście obserwuje się przerzedzenie występujących w jelicie bakterii, jednak badania przeprowadzane w laboratoriach mikrobiologicznych wykazują, że zdrowa flora jelitowa charakteryzująca się dużą przyczepnością do błony śluzowej pozostaje w znacznym stopniu niezmieniona, w dodatku po zabiegu zostają trwale pobudzone zdrowe bakterie jelitowe. W tym celu podaje się stosowne preparaty. Taka terapia wzmacnia układ odpornościowy.

Należy zadbać o odpowiednie odżywianie

Aby jak najdłużej cieszyć się efektem oczyszczenia jelit, konieczna jest zmiana sposobu odżywiania na taki, który opiera się na pełnowartościowych produktach i uwzględnia indywidualne potrzeby. Właśnie na tym polu nawet zwolennicy zdrowego stylu życia często popełniają błędy. Niektórzy wierzą, że o wartości pokarmu stanowią same składniki. Spożywają więc gruboziarniste produkty zbożowe lub mieszanki zbożowo-owocowe, które są źle przyswajane przede wszystkim przez osoby o wrażliwym przewodzie pokarmowym. Powoduje to wzdęcia, procesy rozkładu i niedyspozycje, a z czasem nawet rodzaj wtórnego zatrucia z przewodu pokarmowego. Dlatego jeśli chodzi o zdrowe żywienie, obowiązują zasady profesora Wernera Kollatha, nestora dietetyki:

- odżywiaj się możliwie nieprzetworzonymi produktami,
- jedz jak najmniej,
- wybieraj produkty z upraw ekologicznych.

Zalecenia Kollatha warto połączyć z zasadą austriackiego gastrologa Franza Xavera Mayra: *Nie żyjemy dzięki temu, co jemy, lecz dzięki temu, co możemy strawić.*

Zatem zwłaszcza przy wrażliwym przewodzie pokarmowym optymalnym sposobem odżywiania jest pełnowartościowa ochronna dieta.

Właściwy pokarm to zdrowa flora jelitowa

Należy także zwracać uwagę na odpowiednie pH w jelicie grubym. Prawidłowe pH powinno być lekko kwasowe i wynosić około 6,5, co zapewnia najlepsze warunki rozwoju zdrowej flory jelitowej i optymalne działanie soków trawiennych. Jeśli środowisko jest zbyt kwaśne (poniżej 6,3), może rozwinąć się flora jelitowa powodująca procesy fermentacyjne. W rezultacie powstają alkohole, które zostają wchłonięte przez ściany jelitowe, a niekiedy nawet uszkadzają wątrobę. Opisano przypadki, gdy poziom alkoholu we krwi był tak wysoki, że uniemożliwiał prowadzenie pojazdu. W specjalistycznej literaturze anglojęzycznej zjawisko to określa się jako „intestinal brewery-syndrome".

Informacja

Niektórzy autorzy twierdzą, że cytryna ma działanie zasadowe, jednak nie zostało to bezspornie dowiedzione!

W takiej sytuacji należy zmienić sposób odżywiania i ograniczyć ilość przede wszystkim kwaśnych owoców, gruboziarnistych zbóż, a także cukru.

Czasami zdarza się odwrotna sytuacja. Środowisko w jelicie jest zbyt zasadowe, a pH wynosi powyżej 7. Prowadzi to do procesów gnilnych spowodowanych niedostatecznym trawieniem białek. W rezultacie może dojść do powstania tak zwanych amin biogennych. Chodzi o substancje, które zatruwają komórki, a w pewnych okolicznościach odpowiadają nawet za zmiany nowotworowe. W takim przypadku należy dążyć do zakwaszenia środowiska jelitowego. Można to osiągnąć poprzez zmniejszenie ilości białka w pokarmie (mniej mięsa i wędlin, mniej produktów mlecznych) i zwiększenia ilości produktów roślinnych. Dodatkowo warto przez kilka tygodni spożywać laktozę, niskocząsteczkową substancję balastową. Działa ona lekko zakwaszająco na środowisko jelitowe i stanowi pokarm dla zdrowej flory jelitowej. Laktozę można przyjmować również przy drożdżycy, ponieważ nie jest to substancja rozkładana przez grzyby. Inny sposób na „zakwaszenie" środowiska jelitowego to picie dwa razy dziennie, przed śniadaniem i kolacją, szklanki kwasu chlebowego. Jako sprawdzony środek domowy nadaje się także ocet jabłkowy. Przez 4-6 tygodni przed posiłkami wypijać kieliszek octu rozcieńczonego w stosunku 1:1 z wodą.

Dostarczanie zdrowych bakterii jelitowych

Oprócz opisanych wcześniej środków, służących „wytępieniu chwastów" i poprawie środowiska, warto dostarczać do organizmu zdrowe bakterie jelitowe. W praktyce często postępujemy odwrotnie. Zaczynamy od dostarczenia zdrowych bakterii jelitowych i dziwimy się, że nie zauważamy żadnych efektów.

W takim przypadku należy postępować jak przy źle obsianej grządce – najpierw wyplenić chwasty, potem poprawić jakość gleby, a następnie siać od nowa.

W terapii mikrobiologicznej warto zastosować osłabione bakterie jelitowe coli.

Na drugim etapie terapii dostarczamy do organizmu bakterie, które występują głównie w jelicie cienkim, przede wszystkim bakterie bifido i kwasu mlekowego (laktobakterie).

Bakterie kwasu mlekowego występują nie tylko w mleku, lecz także w kiszonych warzywach, na przykład kiszonej kapuście.

Z tego względu bakterie kwasu mlekowego można, a nawet należy podawać również pacjentom z nietolerancją cukru lub białka mlekowego. Nietolerancja cukru mlekowego (nietolerancja laktozy) – często wrodzona u Azjatów – w naszym rejonie zwykle występuje w formie nabytej, co spowodowane jest trwałym obciążeniem środowiska jelitowego.

Na trzecim etapie kuracji można zastosować żywe bakterie coli. Podawanie bakterii jelitowych to rodzaj biologicznej szczepionki, która pobudza florę jelitową i jednocześnie stymuluje układ limfatyczny jelit. Dlatego zdrowe bakterie jelitowe stosuje się również w celu wzmocnienia odporności. Co ważne, terapia mikrobiologiczna nadaje się nawet dla małych dzieci. Skutki uboczne polegają co najwyżej na wzdęciach i skurczach w przypadku zbyt dużej dawki w fazie początkowej. Po odstawieniu preparatu objawy natychmiast ustępują.

Warto wiedzieć

Zastosowanie przy chorobach autoimmunologicznych

Taka forma wpływania na odporność organizmu sprawdza się również u pacjentów, którzy cierpią na schorzenia autoimmunologiczne, na przykład zapalenia reumatyczne lub tak zwane kolagenozy. U pacjentów tych nie są wskazane inne pobudzające odporność zabiegi takie jak stosowanie preparatów z jeżówki (Echinacea) lub jemioły.

Bańki

Stawianie baniek stosuje się od ponad pięciu tysięcy lat. Dawniej używano w tym celu spiłowanych krowich rogów, dziś są to szklane bańki wytwarzane najczęściej maszynowo, a niekiedy ręcznie. Po zapaleniu małego wacika powstaje próżnia, dzięki czemu bańka utrzymuje się na określonym miejscu.

W zależności od zamierzonego efektu stawia się bańki suche lub cięte, umieszczane na odpowiednich strefach refleksyjnych.

Stawianie baniek na sucho

Suche bańki pobudzają ukrwienie, wydzielanie limfy i przemianę materii, a dodatkowo stymulują narządy przypisane do danych stref refleksyjnych. Na przykład na obszarze prawej łopatki znajdują się strefy refleksyjne woreczka żółciowego i wątroby, więc przystawiając bańki można wspomagać oba te narządy. Jeśli postawimy bańki równolegle do kręgosłupa, następuje ogólne pobudzenie układu krwionośnego, co zalecane jest szczególnie u wyczerpanych pacjentów po dłuższym pobycie w szpitalu.

Cięte bańki

Cięte bańki działają oczyszczająco i rozluźniająco, ponieważ nadmiar limfy i krwi jest wydalany na zewnątrz bezpośrednio przez skórę. W tym celu w miejscu przykładania bańki wykonuje się szybko kilka małych nacięć, najlepiej lancetem. Następnie przystawia się bańki. W ten sposób w ciągu 20 minut zostaje wyciągnięte 5-50 ml krwi i limfy. Zwłaszcza wtedy, gdy bańki umieszczane są na karku, pacjenci spontanicznie informują, że na skutek zabiegu czują się tak, jakby zdjęto z nich wielki ciężar. Odczuwana ulga ma podwójne znacznie, ponieważ obecnie wielu osobom coś lub ktoś siedzi „na karku".

Warto wiedzieć

Kuracja u specjalisty od medycyny naturalnej

Wyjątkową zaletą baniek jest to, że można je z powodzeniem stosować w połączeniu z innymi metodami. W wielu krajach o znacznie gorszej sytuacji gospodarczej, przede wszystkim w Europie wschodniej, ale także w Azji, stawianie baniek nadal jest popularną metodą leczenia przy licznych wskazaniach.

Oprócz dolegliwości ortopedycznych stawianie baniek stosuje się przede wszystkim przy zaburzeniach limfatycznych, skłonności do infekcji, ale także w ramach kuracji wspomagającej przy przewlekłych zaburzeniach czynności narządów.

Obszary stawiania baniek

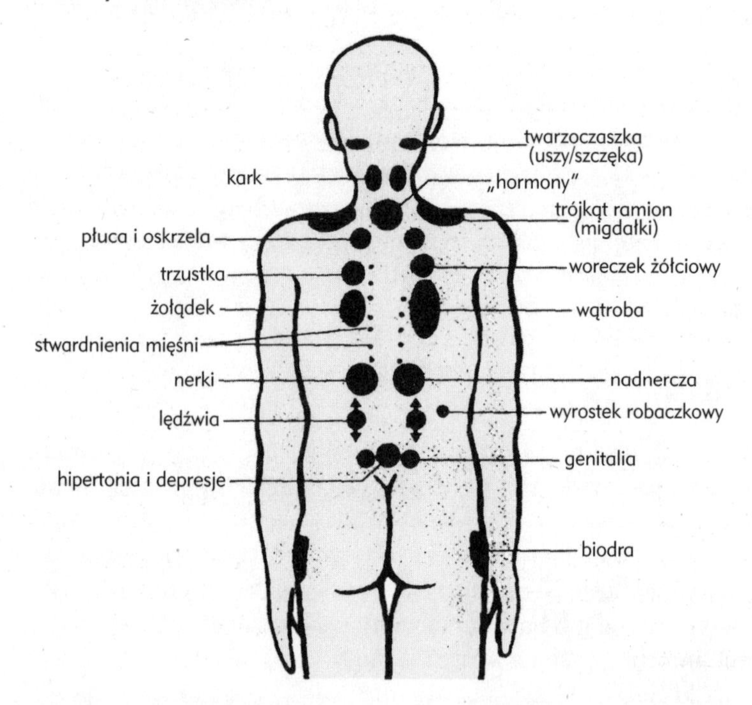

> Żelazna zasada: osobom atletyczno-pyknicznym o dużej ciepłocie i masie ciała stawia się przede wszystkim bańki cięte, osobom astenicznym – suche.

Przeciwwskazaniami dla stawiania baniek są poważne zapalne lub egzematyczne schorzenia skóry. Przy zażywaniu leków przeciwkrzepliwych (marcumar) zalecana jest duża ostrożność lub ograniczenie zabiegu do kilku minut. W Chinach stawia się nawet tak zwane błyskawiczne bańki na kilka sekund.

Z PRAKTYKI LEKARSKIEJ

Pouczający przypadek

45-letnia pacjentka skarżyła się na bolesny obszar w pobliżu łopatki. Był on wrażliwy na dotyk, a ból czasami występował spontanicznie. Trwało to kilka miesięcy. Po przeprowadzeniu badań rentgenowskich ortopeda nie dopatrzył się nieprawidłowości. Badania krwi nie wykazały zapalnego stanu reumatycznego. Przeprowadzane masaże były co prawda „przyjemne", ale w ich efekcie objawy się nasilały. Gimnastyka także nie doprowadziła do znaczącej poprawy. Wreszcie pacjentce polecono, by przyjmowała środki przeciwbólowe i przeciwreumatyczne. Symptomy stały się bardziej „wytłumione", lecz nie zanikły. Po pewnym czasie w wyniku przyjmowania leków wystąpiły dolegliwości żołądkowe, więc kobieta zaczęła szukać „łagodniejszej" alternatywy.
I w ten sposób rozwiązano problem.
Przy badaniu bolesnego obszaru odkryto elastyczne stwardnienie mięśni wielkości wiśni. Podobny, lecz nieco mniejszy twór odnaleziono po przeciwnej stronie ciała. Takie stwardniałe struktury to niedożywione, chronicznie zakwaszone partie mięśni. Przyczyną ich występowania są statystyczne zmiany w szkielecie oraz nieprawidłowości i zaburzenia w czynności organów wewnętrznych, które przekładają się na strefy refleksyjne mięśni.
Stwardnienie mięśni wymagają zastosowania baniek ciętych. Właśnie taki zabieg przeprowadzono u pacjentki – w pierwszym tygodniu dwukrotnie, potem raz na tydzień, w sumie sześć razy. Od tego czasu dolegliwości ustąpiły!

Puszczanie krwi

Puszczanie krwi jest jednym z najstarszych medycznych zabiegów i zalicza się do metod oczyszczających. Szczególnie w XVI i XVII wieku stosowano go nadmiernie często, dlatego zaczął cieszyć się złą sławą i jest tak częściowo aż do dziś.

Jednak właśnie w epoce chorób związanych z dobrobytem puszczanie krwi okazuje się cenną metodą terapeutyczną. Badania z roku 2001 przeprowadzone na uniwersytecie w Innsbrucku potwierdziły, że puszczanie krwi przeprowadzane rutynowo dwa razy do roku to skuteczny zabieg zapobiegający zawałom serca i wylewom.

Od dawna, wręcz od stuleci, znane są następujące efekty puszczania krwi:

- rozrzedzenie krwi,
- odtrucie krwi i tkanek (krew traci „ostrość"),
- działanie przeciwzapalne (stąd wskazania przy chorobach zapalnych takich jak poważne zapalenia stawów),
- przywrócenie równowagi wegetatywnej.

Ogólne wskazania dla puszczania krwi to:
- podwyższony hematokryt powyżej 42%,
- uderzenia gorąca, na przykład przy klimakterium,
- zawroty głowy i szum w uszach,
- zaburzenia słuchu,
- ucisk głowy,
- skłonność do zakrzepów.

O technice puszczania krwi

Przy zabiegu, podobnie jak przy oddawaniu krwi, używa się specjalnej dużej igły. Ma ona średnicę 1,8 mm. Dzięki diamentowemu szlifowi nakłucie nie boli bardziej, niż przy zwykłych, cieńszych igłach, jakie zwykle stosuje się do pobrania krwi. Do igły zostaje przymocowana rurka prowadząca do naczynia zbierającego krew. Po wkłuciu igły pozwalamy po prostu spłynąć odpowiedniej ilości krwi bez dodatkowego podciśnienia.

Po zabiegu należy dużo pić, aby szybko uzupełnić utraconą ilość płynów.

Jak często należy puszczać krew?

Częstotliwość puszczania krwi zależy od poziomu hematokrytu – im jest on wyższy, tym większe ryzyko wylewu i nadciśnienie, więc tym częściej przeprowadzane jest puszczanie krwi.

Czy oddawanie krwi może zastąpić puszczanie krwi?

Pacjenci często pytają, czy oddawanie krwi służy temu samemu celowi. Jeśli chodzi o działanie oczyszczające, tak. Pobieranie 500 ml krwi oznacza jednak poważny bodziec skłaniający szpik kostny do wytwarzania krwi, więc stosunkowo szybko ulega ona ponownemu zagęszczeniu. Według badań wiedeńskiego lekarza Bernharda Aschnera przy (w razie konieczności wielokrotnym) puszczaniu kwi efekt ten jest znacznie słabszy. Niekiedy zaleca się puszczanie krwi w ilości zaledwie 70–150 ml, by uniknąć pobudzenia szpiku kostnego.

Według Hildegarda von Bingen puszczanie krwi powinno się przeprowadzać z uwzględnieniem faz księżyca. Najlepsze są dni od drugiego do szóstego po pełni księżyca w fazie „rosnących soków".

Z PRAKTYKI LEKARSKIEJ

Terapia u homeopaty

Wolfgang P. to czterdziestoletni menedżer, który ciężko pracuje. Jest budowy pykniczno-atletycznej. Od ponad roku ma wrażenie, że nie widzi ostro. Badanie u okulisty i dopasowanie nowych okularów nie doprowadziło do wykrycia przyczyn ani do poprawy widzenia. Również neurolog niczego nie stwierdził. Internista przeprowadził szczegółowe badania, bez rezultatów. Ciśnienie było w normie, podobnie jak wyniki badań krwi.

W medycynie hipokratejskiej – po wykluczeniu schorzeń organicznych – za przyczynę uznano by zagęszczenie krwi, czyli hiperwolemię na obszarze głowy. U pacjenta przeprowadzono puszczanie krwi w ilości 250 ml. Już kilka minut po zabiegu mężczyzna stwierdził, że po raz pierwszy od lat ma „sokoli wzrok". Po dziesięciu dniach efekt nieco ustąpił, więc przeprowadzone zostało kolejne puszczanie krwi. I ponownie rezultat był wyjątkowy – pacjent stwierdził, że widzi niezwykle ostro. Poprawa wzroku utrzymywała się tym razem przez kilka tygodni. Od tego czasu Wolfgang P. przeprowadza przeciętnie puszczanie krwi cztery razy do roku, a jego widzenie trwale się poprawiło.

Co powiedzieć lekarzowi?

Wiele osób zadaje sobie pytanie: gdzie znajdę terapeutę skłonnego przeprowadzić puszczanie krwi? O ile wiadomo, nie istnieje spis lekarzy przeprowadzających takie zabiegi. Jeśli zwrócimy się bezpośrednio do domowego lekarza, zwykle usłyszymy, że to całkowicie przestarzały, średniowieczny zabieg. Jedynie przy hemochromatozie (nadmiernym wchłanianiu żelaza) puszczanie krwi uchodzi za wskazaną terapię.

W nowoczesnej medycynie niemal nieznane jest puszczanie krwi dla obniżenia ciśnienia i przeciwdziałania stanom zapalnym. Sprytny pacjent mógłby poprosić o „flebotomię". Ten fachowy termin oznacza właśnie puszczanie krwi. Ale i to zwykle nie pomaga. Pozostaje zatem pytanie w stowarzyszeniach medycyny naturalnej o lekarzy przeprowadzających takie zabiegi. Jeśli i to nie przyniesie skutku, można ostatecznie oddać krew, choć z medycznego punktu widzenia nie jest optymalne pobieranie tak dużej ilości krwi.

3

Choroby i objawy

W niniejszym rozdziale opisano typowe schorzenia cywilizacyjne oraz odpowiednie sposoby terapeutyczne. Świadomie położono nacisk na zespoły chorobowe, które w medycynie klinicznej często traktowane są po macoszemu, a pozostawieni samym sobie pacjenci słyszą, że po prostu muszą z tym żyć.

Zespół jelita drażliwego

„Diagnostyką posuniętą aż do uszkadzania ciała" nazywa pewien gastroenterolog wielokrotnie powtarzaną panendoskopię żołądka i jelit u pacjentów z zespołem drażliwego jelita. W rzeczywistości badania często wykazują jedynie skłonność do skurczy mięśni jelitowych, bez nieprawidłowości w narządach. Diagnoza „drażliwe jelito" to zatem klasyczna diagnoza wykluczająca.

Przyczyny zespołu drażliwego jelita

Zespół drażliwego jelita dotyka głównie pacjentów poniżej 40. roku życia o dobrym ogólnym stanie zdrowia. Dolegliwości utrzymują się od wielu lat, często w połączeniu z innymi zaburzeniami funkcjonalnymi. Objawy nigdy nie występują nocą, ale najczęściej rano przed jedzeniem i niemal zawsze po posiłku. Ścisła dieta prowadzi do gwałtownej poprawy stanu pacjenta.

Oprócz bólu brzucha o różnej intensywności, któremu towarzyszą wzdęcia i nieregularny stolcem, mogą występować na zmianę zaparcia i biegunki. Za przyczynę uznaje się zaburzenia czynności mięśni odcinka żołądkowo-jelitowego, na przykład w wyniku niedoboru substancji balastowych lub niedoczynności wątroby, woreczka żółciowego i trzustki. Do tego dochodzi brak ruchu i połykanie powietrza przez osoby, które wiecznie się spieszą. Czynność mięśni na odcinku żołądkowo-jelitowym, która zapewnia rytmiczne przesuwanie się treści pokarmowej, staje się nieregularna, zwalnia i może wręcz przejściowo ustać. Skutek: skurcze, a nawet kolki.

Coraz więcej osób cierpi na częściowo ukryte nietolerancje pokarmowe, na przykład na laktozę, fruktozę, ale także słodziki takie jak sorbitol, mannitol czy ksylitol.

Ostatnio coraz częściej mówi się o postinfekcyjnym drażliwym jelicie. Występuje ono zwykle po podróży do krajów południowych, podczas której doszło do infekcji żołądkowo-jelitowej. Nawet po zaleczeniu infekcji, gdy wyniki badań krwi powrócą do normy, zespół drażliwego jelita może utrzymywać się przez wiele miesięcy i lat. Pacjenci mają wrażenie, że jelita otrzymały „cios", po którym nigdy nie wydobrzały.

Skuteczne metody przeciwdziałania

Posiłki spożywaj bardzo regularnie. Konsekwentnie unikaj pokarmów, których nie tolerujesz. To wystarczy, by zapewnić pięćdziesięcioprocentową poprawę.

Około jedna trzecia pacjentów nie toleruje mleka i produktów pszennych, a także grzybów. 20-30 procent nie powinno spożywać jaj, czekolady i kawy. Owoce cytrusowe, różne rodzaje herbaty, orzechy i produkty owsiane wywołują dolegliwości u 10-20 procent osób. Chodzi zatem o nietolerancję pokarmów zarówno zwierzęcych, jak i roślinnych. Na próbę warto też – patrz wyżej – unikać fruktozy i sorbitu. Po okresie 2-3 tygodni należy przeprowadzić test i zjeść dwie gruszki ze skórą lub 14 śliwek. Jeśli ponownie wystąpią objawy drażliwego jelita, nietolerancja na cukier owocowy jest niemal pewna. Można ją stwierdzić także poprzez specjalne badania stolca.

Jedz powoli i niespiesznie

Zadbaj, by spożywać posiłki regularnie i bez pośpiechu. Oczywiście należy dokładnie przeżuwać i zwilżać pokarm śliną zgodnie z zaleceniami Franza Xavera Mayra (por. też w książce „Oczyszczanie organizmu według kuracji Mayra", Warszawa 2006, wyd ABA). Twierdził on, że przed przełknięciem każdego kęsa trzeba przeżuć go 32 razy. Oczywiście w epoce pośpiechu jest to nierealne. Należy jednak pamiętać o dokładnym przeżuwaniu i nie zapominać, że kto dokładnie przeżuwa, nie tylko lepiej trawi, ale i mniej je!

Zarówno przy biegunce, jak i przy zatwardzeniach warto zwiększyć ilość substancji balastowych. Substancje balastowe nie tylko wyrównują czynność mięśni odcinka żołądkowo-jelitowego, ale także wiążą substancje trujące (toksyny) i niczym szczotka pomagają wymieść je z organizmu.

Jakie pokarmy są właściwe?

W dyskusji na temat „właściwej" diety przy zespole drażliwego jelita pojawia się wiele zaleceń, które same nie przynoszą zadowalających wyników. Rozwiązaniem jest ich odpowiednie połączenie.

„Nie istnieje dieta żołądkowo-jelitowa" – to oczywiście bezsensowna wypowiedź. Co zadziwiające, ten punkt widzenia nadal reprezentowany jest w kręgach lekarskich, choć najnowsze odkrycia mu zaprzeczają. Oczywiście dieta jelitowa składająca się jedynie z owsianego kleiku i zup mlecznych nie może być długo stosowana. Z drugiej strony wiemy, że większość współczesnych schorzeń wiąże się z nawykami żywieniowymi, więc dlaczego nie miałoby to dotyczyć narządów, które bezpośrednio odpowiadają za trawienie i przyswajanie pokarmu?

Zamieszczona poniżej lista nie stanowi oczywiście pełnego jadłospisu. Na zasadzie czarno-białego zestawienia ma jednak wskazać niewłaściwe pokarmy i ich dobrze przyswajalne alternatywy. Jak widać, samo ogólne zalecenie, by spożywać pełnowartościowe, możliwie nieprzetworzone produkty, nie wystarczy. Nawet pełnowartościowa dieta oparta na surowych produktach, jeśli jest zbyt trudna do przyswojenia i różnorodna, może nie być korzystna.

Ogólne wskazania dla puszczania krwi to:
- podwyższony hematokryt powyżej 42%,
- uderzenia gorąca, na przykład przy klimakterium,
- zawroty głowy i szum w uszach,
- zaburzenia słuchu,
- ucisk głowy,
- skłonność do zakrzepów.

Celem jest pełnowartościowa dieta, która odpowiada indywidualnym potrzebom.

Dietę spełniającą kryteria zarówno pełnowartościowości, jak i przyswajalności nazywamy „pełnowartościową dietą ochronną".

Odżywianie przy schorzeniach żołądkowo-jelitowych

Główna zasada: pełnowartościowa dieta ochronna.

Źle	**Dobrze**
wieprzowina, mięso wędzone	jagnięcina, drób
cukier	syrop z agawy
kawa, czarna herbata, „czerwona" herbata	herbata „żółta", „zielona"
smażony tłuszcz, tłuszcz zwierzęcy, masło	tłuszcz roślinny (niepodgrzewany)
jabłka, śliwki	melon, mango
gruboziarniste (zawierające gluten) zboża	drobne (bezglutenowe) zboża
musli, mieszanki świeżych ziaren	kleik z orkiszu i prosa
ocet	oliwa/cytryna
surowe warzywa (papryka, por, cebule)	duszone warzywa
frytki, chipsy	ziemniaki w mundurkach, puree ziemniaczane
ostre przyprawy	zioła
mleko, ser topiony	twaróg

Ważne

Nie smażyć, nie zapiekać i nie grillować, lecz dusić i gotować na parze!

W przypadku obciążonego przewodu pokarmowego obowiązują dodatkowo zalecenia F.X. Mayra i Karla Pirleta:

- tylko lekkostrawne pokarmy,
- odpowiedni sposób przygotowania,
- niewielkie ilości,
- częste, drobne przekąski (między głównymi posiłkami),

- dokładne przeżuwanie każdego kęsa,
- jedzenie w spokoju.

Naturalne metody wspomagające – jakie rośliny pomagają

W przypadku wzdęć i skurczów pomagają **kminek, koper** i **anyż**, wymienione zgodnie z siłą działania.

Rumianek działa przeciwzapalnie, przeciwskurczowo i łagodzi podrażnienia śluzówki. Można go stosować w postaci herbaty rumiankowej lub jako wywar rumiankowy.

Melisa (melisa cytrynowa) działa rozluźniająco i uspokajająco na układ wegetatywny. Można ją stosować w połączeniu z rumiankiem, na przykład w formie herbaty. Szczególnie u pacjentów, u których występują nerwicowe objawy towarzyszące – zwykle przy zespole drażliwego jelita – taka mieszanka może okazać się bardzo skuteczna. Rano przed śniadaniem wypijamy jedną do dwóch filiżanek, ewentualnie kolejną po południu lub wieczorem.

Pięciornik kurze ziele to roślina o najwyższej zawartości tanin. Główna substancja czynna zawarta jest w korzeniu, a pod względem struktury chemicznej przypomina barwniki anilinowe. Pięciornik kurze ziele warto stosować przede wszystkim przy biegunkach. Odpowiedni preparat to Tromentille Rhizana.

Warto wiedzieć

Wilgotne, ciepłe okłady działają relaksacyjnie

W tym celu na górnej części brzucha kładziemy zwilżoną, ciepłą szmatkę, a na wierzch termofor i ręcznik frotte. Po około 15–20 minutach zdejmujemy okład. Warto stosować okłady wieczorem, ponieważ ze względu na przyspieszoną przemianę materii dochodzi wtedy często do zmęczenia wątroby. Zatem lepiej jest przeprowadzać zabieg wieczorem niż w ciągu dnia. W ramach terapii stosujemy okłady co wieczór przez 10–14 dni.

Oczywiście warto zoptymalizować wartość pH w środowisku jelitowym (patrz wyżej). W zależności od przypadku można przeprowadzić także badania stolca. Przy występowaniu drożdżaków należy dostarczyć do organizmu zdrowe bakterie.

Ważne

Terapia stosowana przy zespole drażliwego jelita sprawdza się również przy wrzodziejącym zapaleniu jelita grubego, chorobie Leśniowskiego-Crohna i zapaleniu uchyłków jelitowych.

Do pobudzenia flory jelitowej można stosować preparaty z osłabionymi bakteriami coli.

W razie potrzeby na zaawansowanym etapie można podawać inne środki. Praktyka dowodzi jednak, że preparaty zawierające żywe bakterie jelitowe nie powinny być stosowane na początku terapii, ponieważ mogą prowadzić do nasilenia wzdęć, burczenia w brzuchu i mdłości.

Widać stąd, że nie trzeba opracowywać osobnej strategii działania w przypadku każdej diagnozy. Wymienione schorzenia stanowią raczej różne, związane z indywidualnymi predyspozycjami odmiany tego samego zasadniczego problemu – przeciążenia odcinka żołądkowo-jelitowego.

Poinfekcyjny zespół drażliwego jelita

W ostatnich latach coraz częściej mówi się o nieznanej dotychczas formie zespołu drażliwego jelita – poinfekcyjnym zespole drażliwego jelita, występującym często po zagranicznych podróżach. W tym wypadku ważną rolę mogą odgrywać określone zarazki, na przykład wirusy i bakterie yersinia. Problem polega na tym, że objawy drażliwego jelita utrzymują się nawet po ustąpieniu infekcji jako przejaw „osłabionego" przewodu pokarmowego. W takich przypadkach pomagają opisane wcześniej metody uzdrawiania jelit. Skuteczne okazują się też przygotowane homeopatycznie zarazki chorobowe.

Częste zapalenie ucha środkowego u dzieci

Jakże często mamy do czynienia z następującą sytuacją: zatroskani rodzice martwią się o dziecko, które cierpi na przewlekłe zapalenie ucha środkowego i dlatego w ciągu kilku miesięcy wielokrotnie otrzymywał antybiotyki. W dodatku coraz bardziej pogarsza się jego ogólny stan zdrowia.

Na początku należy stwierdzić – zapalenie ucha środkowego w wielu przypadkach diagnozowane jest przedwcześnie. Wielu lekarzy, szczególnie pracujących na pogotowiu, już przy lekko zaczerwienionej błonie bębenkowej stwierdza zapalenie ucha środkowego i podaje antybiotyki. Jednak w przypadku takiego zaczerwienienia często chodzi o nieżyt ucha w ramach ogólnej infekcji wirusowej. Zapalenie ucha środkowego charakteryzuje głęboko czerwony wysięk powodujący wybrzuszenie błony bębenkowej, a nawet jej przebicie. Faktyczne zapalenie ucha środkowego jest najprawdopodobniej znacznie rzadsze niż diagnozy.

Warto wiedzieć

Metody leczenia

W przypadku faktycznego lub podejrzewanego zapalenia ucha środkowego sprawdza się następująca, bardzo prosta do przeprowadzenia terapia:

1. Konsekwentna rezygnacja z białka mleka krowiego (masło i śmietana dopuszczalne). W przypadku sera ograniczenie się do sera owczego lub koziego.
2. Celowa terapia wspomagająca układ limfatyczny z zastosowaniem homeopatycznych środków kompleksowych (dawkowanie w zależności od wieku dziecka).
3. Celowa terapia mikrobiologiczna z zastosowaniem preparatu Symbioflor® (2 x 10 kropli połknąć, 2 x 10 kropli wciągnąć z dłoni do nosa). Młodszym dzieciom można również zakraplać lek pipetą. Zdrowe bakterie pobudzają odporność błony śluzowej. Po 3-4 tygodniach można dodatkowo wzmacniać florę kwasu mlekowego preparatem Paidoflor®. Ma on postać tabletek do ssania i jest łatwo przyswajany nawet przez młodsze dzieci.

Powiększone migdałki także mogą spowodować zapalenie

„Duże migdałki" utrudniają oddychanie przez nos i napowietrzenie ucha środkowego. To także może być przyczyną częstego zapalenia ucha środkowego. Zamiast pospiesznie zlecać usunięcie migdałków, należy najpierw zastanowić się, dlaczego są za powiększone. Odpowiedź: ze względu na przeciążenie struktur limfatycznych w gardle. Jeśli zbyt migdałki zostaną usunięte operacyjnie, nastąpi dalsze zredukowanie tkanki limfatycznej.

Migdałki stanowią gruczoł wydalniczy, którego zadaniem jest usuwanie niepożądanych substancji z ciała. Dlatego na migdałkach często powstają białe „czopy", które zwykle określane są jako „owrzodzenia". W rzeczywistości to obumarłe resztki komórkowe, tak zwany „detrytus".

Przy powiększonych migdałkach celem powinno być konsekwentne odciążenie układu limfatycznego. Stosuje się terapię podobną jak przy zapaleniu ucha środkowego.

Alergie/atopowe zapalenie skóry

W ujęciu medycyny naturalnej alergie wiążą się zawsze z **ogólnym schorzeniem organizmu**. Główną przyczyną nie jest wrażliwość na określone substancje, lecz sama skłonność do reakcji alergicznych. Innymi słowy, specjalista od medycyny naturalnej zwraca uwagę nie tyle na stwierdzone alergeny, co na kwestię, dlaczego w ogóle pojawia się reakcja alergiczna.

Odpowiedź brzmi: w organizmie dochodzi do (ukrytego) przeciążenia przemiany materii i układu immunologicznego. Głównym celem jest więc wykrycie i usunięcie tego typu przeciążeń.

Przy każdej formie reakcji alergicznej pomocne i sprawdzone są opisane poniżej metody.

Optymalizacja odżywiania

✘ Należy zrezygnować z **wieprzowiny i produktów wieprzowych**. Wieprzowina zawiera m.in. histaminę, która wywołuje lub wzmaga reakcje alergiczne. W dodatku w postaci tłuszczów zwierzęcych trafia do organizmu kwas arachidonowy, który ułatwia reakcje zapalne, przede wszystkim skórne. Kwas arachidonowy to wielokrotnie nasycony kwas tłuszczowy Omega 6.

✘ Na próbę przez cztery tygodnie należy unikać **białka zawartego w krowim mleku**. Oznacza to konsekwentne odstawienie wszelkich produktów z krowiego mleka, w tym twarogów, serów i jogurtów. Masło i śmietana jako główne produkty tłuszczowe są dozwolone w ograniczonych ilościach. W przypadku sera można sięgać po sery owcze i kozie.

- Mleko krowie uchodzi za najsilniejszy po barwnikach alergen.
- Starsi lekarze często opowiadają o zjawisku ogólnego obciążenia układu limfatycznego prowadzącego do zatorów limfy na obszarze jamy brzusznej (przede wszystkim u dorosłych kobiet) i podatności na infekcje (zwłaszcza u dzieci).

Nawet jeśli nie jesteś uczulony na białko w krowim mleku, rezygnacja z krowiego mleka zmniejsza „nacisk alergenów", a zarazem ogólną skłonność do alergii.

Jeśli odstawienie produktów mlecznych nie spowoduje poprawy, można zacząć spożywać w umiarkowanych ilościach zsiadłe przetwory mleczne (takie jak jogurt). Zsiadłe białko działa mniej „alergicznie" niż białko zwykłe.

Warto wiedzieć

Niedobór wapnia spowodowany odstawieniem produktów mlecznych?

Częste zastrzeżenie, że przy ograniczeniu produktów mlecznych lub ich całkowitym odstawieniu dochodzi do niedoboru wapnia, a przez to do osteoporozy, jest więcej niż wątpliwe. Niektóre badania dowodzą, że osteoporoza występuje przede wszystkim w krajach z wysokim spożyciem mleka (czyli w Ameryce Północnej i Europie środkowej). Kobiety azjatyckie rzadziej cierpią na osteoporozę, choć w tamtym rejonie produkty z krowiego mleka są niemal nieznane, a poziom estrogenu jest przeciętnie niższy niż u kobiet europejskich lub amerykańskich.

Badania wykazują odwrotny związek między dostarczaniem zwierzęcego białka i wchłanianiem wapnia. Im wyższa ilość zwierzęcego białka, tym gorsze wchłanianie wapnia w jelitach. Z kolei stosunkowo niska ilość wapnia poprawia stopień jego przyswajania.

Ogólne zapotrzebowanie na składniki mineralne i witaminy wydaje się mniej zależne od wagi ciała, a bardziej od wartości pokarmu. Osoby, które odżywiają się typowo po męsku, potrzebują znacznie więcej witamin i składników mineralnych, by rekompensować niedobory.

Produkty roślinne z wysoką zawartością wapnia (na 100 g)

- ziarna sezamu 783 mg
- migdały 250 mg
- orzechy laskowe 225 mg
- figi 190 mg
- jarmuż 110 mg
- nasiona słonecznika 100 mg
- fenkuł 100 mg
- szpinak 85 mg
- brokuły 65 mg
- seler 50 mg

Dla porównania: ser 790-830 mg, krowie mleko 120 mg, chudy twaróg 120 mg, serek wiejski 65 mg, mleko z piersi 35 mg.

Wiadomo też, że pokarmy z wysoką zawartością fosfatów (wędlina, ser topiony, napoje typu cola) przyspieszają utratę wapnia z kośćca! Z kolei przy pełnowartościowej, w znacznym stopniu naturalnej diecie potrzebne są stosunkowo niewielkie ilości witamin i składników mineralnych.

- Należy unikać fosfatów i barwników w pożywieniu. Zawarte są one przede wszystkim w konserwach i w innych gotowych produktach, we wszystkiego rodzaju wędlinach, a także w napojach typu cola.
- Należy ograniczyć ilość cukru w formie zwykłego cukru domowego (sacharoza i jej odmiany, na przykład cukier puder i cukier kandyzowany), a także cukru gronowego w formie glukozy. Zgodnie z ujęciem medycyny naturalnej te rodzaje cukrów „zakwaszają" środowisko przemiany materii i ułatwiają rozwój niepożądanych bakterii jelitowych.
- Szczególnie przy schorzeniach skóry takich jak atopowe zapalenie skóry alergicy powinni przynajmniej próbnie unikać białka kurzego.

Uwaga

Białko kurze stosowane jest często do klarowania czerwonego wina i jako substancja nośna występuje w szczepionkach.

Terapia mikrobiologiczna

Szczególnie w przypadku alergii skład naturalnej flory jelitowej może ulec zmianie. Przyczyną są leki, na przykład antybiotyki lub kortyzon, a także niewłaściwa dieta i obciążenia psychiczne. W wielu wypadkach pojawiają się grzyby gatunku *Candida albicans*.

Jeśli flora jelitowa jest uszkodzona, przez ściany jelitowe mogą przenikać większe ilości niepożądanych substancji, na przykład różnych alergenów, i w ten sposób wywoływać reakcje alergiczne.

Za pomocą badania stolca można orientacyjnie stwierdzić występowanie zmian naturalnej flory jelitowej i obecność grzybów *Candida albicans*. W przypadku występowania grzybów *candida* konieczna może okazać się terapia przeciwgrzybicznym preparatem o nazwie nystatyna. Działa on tylko miejscowo, zabija więc drożdżaki na błonie śluzowej, ale nie przechodzi do krwi. Stąd z reguły jest dobrze przyswajany.

W lżejszych przypadkach występowania grzybów wystarczą „zdrowe drożdże", jak na przykład zmodyfikowana forma drożdży kuchennych, przeciwdziałająca także biegunkom. Leki pomagają usunąć niepożądane grzyby i jednocześnie wzmocnić zdrową florę jelitową.

Terapia mikrobiologiczna wzmacnia również układ odpornościowy.

Układ limfatyczny

W przypadku alergii warto także pobudzać układ limfatyczny. Odgrywa on ważną rolę w przemianie materii i decyduje o odporności organizmu. Działa niczym rodzaj oczyszczalni.

Leczenie wątroby

W przypadku reakcji alergicznych należy zawsze odciążyć wątrobę. Nadają się w tym celu roślinne preparaty z ostropestu plamistego.

Oczyszczanie poprzez tkankę łączną

Z punktu widzenia medycyny naturalnej również tkanka łączna stanowi ważną płaszczyznę przemiany materii w organizmie, a jej przeciążenie może prowadzić do chorób lub zaburzeń samopoczucia. Oprócz zmiany diety pomagają środki homeopatyczne.

Akupunktura

Przy schorzeniach alergicznych sprawdzają się również regulujące zabiegi takie jak akupunktura.

Źródła promieniowania elektromagnetycznego

W przypadku schorzeń alergicznych należy dążyć do wyeliminowania potencjalnych źródeł promieniowania elektromagnetycznego. Promieniowanie elektromagnetyczne działa jak czynnik „stresotwórczy" i może obciążać układ odpornościowy. Należy wziąć pod uwagę szczególnie takie przedmioty jak budzik na nocnym stoliku, który oznacza promieniowanie elektromagnetyczne w miejscu spania.

Warto wiedzieć

Promieniowanie magnetyczne z gniazdka elektrycznego

Każdy przewód elektryczny stanowi potencjalne źródło promieniowania. Dlatego warto na obszarze sypialni wbudować przełącznik podprądowy. Porozmawiaj o tym z elektrykiem. Doświadczenie uczy jednak, że nie wszyscy elektrycy znają się na przełącznikach podprądowych. Należy też pamiętać, że działają one tylko wtedy, gdy zastosowane zostanie tak zwane „obciążenie omowe", na przykład normalna żarówka. Żarówki energooszczędne, radia i odkurzacze nie wystarczają, by przeciążyć przełącznik podprądowy. Oznacza to, że trzeba na krótko włączyć światło, by zadziałał odkurzacz. Z tego powodu w większości wypadków wystarcza zaopatrzyć sieć elektryczną w przełącznik podprądowy.

Również bezprzewodowe telefony wysyłają nieustannie zmienne pola elektromagnetyczne, także wtedy, gdy nie telefonujemy. Te pola są tak silne, że przenikają ściany. Jeśli zatem masz w domu telefon bezprzewodowy (nie chodzi o telefon komórkowy, lecz telefon bezprzewodowy w stałej sieci), należy go koniecznie wyłączyć i zastąpić starszym modelem typu CT1. Wersja analogowa „strzela" zmiennymi polami magnetycznymi tylko podczas używania.

Migreny

Ważne

Zwykle warto przeprowadzić ogólne oczyszczanie organizmu poprzez zmianę sposobu życia.

Medycyna kliniczna jako przyczynę migren postrzega zaburzenia w przemianie serotoniny i w związku z tym zaleca leki, które ją usprawniają. Środki te zwą się „tryptany". Jak wszystkie chemiczne preparaty przeciwmigrenowe w pewnym momencie „uzależniają" i mogą same wywoływać migreny. Z tego względu leki te należy zażywać jedynie przejściowo.

Z punktu widzenia medycyny naturalnej migrena jest skutkiem zaburzonej wewnętrznej regulacji i zaburzonej przemiany materii.

Na pierwszym miejscu stoi więc zmiana sposobu odżywiania, nawet jeśli neurolodzy tego nie potwierdzają. Polecam następujące sposoby terapeutyczne, które można wypróbować w porozumieniu z lekarzem.

Następujące produkty są wyjątkowo niekorzystne i powinny być unikane:

- kawa,
- czerwone odmiany herbaty (herbata owocowa, herbata z głogu),
- napoje typu cola,
- produkty zawierające cukier,
- produkty wieprzowe.

Tego typu produkty działają na organizm silnie „zakwaszająco". Z punktu widzenia medycyny naturalnej zakwaszenie jest jedną z głównych przyczyn migren. Powoduje ono, że w centralnym układzie nerwowym określone dochodzi do zaburzeń działania substancji pośredniczących, odpowiadających szczególnie za wytwarzanie i rozkład serotoniny. Medycyna kliniczna próbuje bezpośrednio wpływać na poziom serotoniny poprzez odpowiednie leki. Medycyna naturalna stara się przywrócić równowagę przemiany materii i w ten sposób znormalizować poziom serotoniny.

Ostatnio autorzy artykułów w czasopismach lekarskich dowodzą, że pacjent cierpiący na migrenę powinien zwracać uwagę na stały poziom kofeiny. To prawda, ale poziom ten powinien wynosić „zero".

Korzystne produkty spożywcze to tak zwane „produkty zasadowe". Należą do nich przede wszystkim ziemniaki i większość warzyw.

Produkty zakwaszające i zasadowe

Zasadowe:

- sałaty: zielona, lodowa, cykoria sałatowa, lollo rosso, endywia
- warzywa: marchew, por, kalafior, buraki, seler, rzepa, kalarepka, topinambur, papryka, ogórki, cebula, czosnek, pomidory, rzodkiewki, rzodkiew
- ziemniaki w mundurkach
- kiełki: rzeżucha, alfalfa, rzodkiew, pestki słonecznika, fasola mungo
- śmietana
- kiszone warzywa i soki
- kiszona kapusta
- wyjątek: warzywa strączkowe, brukselka, szparagi – działają zakwaszająco

Zakwaszające:

- produkty zawierające białko: mięso, ryby, wędlina, sery, twarogi
- alkohol, kawa, czarna herbata
- cukier i biała mąka w każdej postaci: lemoniady, cola, czekolada, cukierki, keks, wyroby cukiernicze, budynie i sosy w proszku, makaron, skrobia kukurydziana, placki ziemniaczane, lody
- jaja, orzechy, fasola, groch
- zboża są lekko zakwaszające.

Tłoczone na zimno, nierafinowane tłuszcze i oleje są neutralne, w przeciwieństwie do olejów rafinowanych, tłoczonych na gorąco.

Preparaty zasadowe

Cytryna to jedyna roślina o kwaśnym smaku, która ma odwrotne działanie i pomaga odkwaszać organizm. W medycynie naturalnej zaobserwowano to wielokrotnie, choć efekt nie jest do tej pory dowiedziony naukowo.

Gimnastyka dla chorych

Jako kolejną przyczynę migren należy wymienić potencjalne napięcia na obszarze karku. Mogą one odgrywać istotną rolę, łącznie z blokowaniem kręgów. Pomaga gimnastyka, na przykład w formie chirogimnastyki według Laabsa, a także terapia neuralna według Hunekego.

Warto wiedzieć

Rozmaite rodzaje migreny

Aby postawić szczegółową diagnozę, należy znać dokładną lokalizację migreny. Gdy przejawia się na przykład jako „ucisk za oczami", chodzi zwykle o tak zwaną „migrenę żółciową", która wskazuje na funkcjonalne przeciążenie woreczka żółciowego. Mogą wtedy pomóc środki roślinne.

Jeśli migrena odczuwana jest w rejonie ciemienia lub ciągnie się od karku do czoła, w medycynie naturalnej mówimy o „migrenie pęcherza". Może tu pomóc, podobnie jak przy migrenie żółciowej, akupunktura.

Akupunktura pomaga w wielu przypadkach. W zależności od tego, jak poważne są (często ukryte) zaburzenia przemiany materii, może jednak nie wystarczyć.

Celem jest zatem ogólna terapia systemowa w połączeniu ze specjalnymi środkami miejscowymi.

Terapia neuralna według Hunekego

Terapia neuralna polega na wstrzyknięciu w bolesnym punkcie lokalnego anestetyku (miejscowo działającego środka znieczulającgo), z reguły prokainy lub lidokainy. Najważniejsze w tym przypadku nie jest jednak znieczulenie, ponieważ zwykle trwa ono około pół godziny, lecz pobudzenie ukrwienia i przemiany materii na obszarze napiętych komórek mięśniowych.

Drenaż limfatyczny na obszarze głowy

Należy także wziąć pod uwagę możliwość limfatycznego drenażu na obszarze głowy. Limfa stanowi rodzaj oczyszczalni organizmu, której zadaniem jest wydalanie pozostałości po przemianie materii i jednocześnie dostarczanie aktywnych immunologicznie komórek na właściwe miejsce.

W przypadku migreny dochodzi do zatorów limfy na obszarze szyi bądź głowy. W takich przypadkach sprawdził się manualny drenaż limfy. Przeprowadzany jest przez masażystów specjalnie przeszkolonych w stosowaniu tej metody.

Z reguły przeprowadza się dwa zabiegi na tydzień, na początku łącznie dziesięć zabiegów.

Preparaty homeopatyczne

Przy migrenie hormonalnej – a zatem takiej, która wiąże się czasowo z miesiączką – można stosować indywidualnie dobrane preparaty homeopatyczne. Wszystkie gotowe preparaty zawierają kilka substancji homeopatycznych.

Schorzenia reumatyczne

Statystycznie około 70 procent reumatycznych dolegliwości stawów wiąże się z degeneracyjną chorobą zwyrodnieniową stawów. Jeśli zwyrodnienie jest bardzo zaawansowane, może przekształcić się we (wtórne) zapalenie stawów. Około 10 procent reumatycznych schorzeń stawów od początku związanych jest z zapaleniami.

Z PRAKTYKI LEKARSKIEJ

Zwyrodnienie i zapalenie stawów

Wolfgang K. ma 59 lat i nadwagę. Od wielu miesięcy po przebudzeniu odczuwa ból stawów. Bolą go rano zwłaszcza stawy palców i kolan, które są „zesztywniałe". Po pół godzinie rozluźniają się, a ból ustępuje.
Wolfgang K. wykazuje typowe objawy zwyrodnienia stawów. Pod tym pojęciem rozumie się degenerację stawów wskutek obciążeń, na przykład związanych z nadwagą. Zmianom degeneracyjnym sprzyja złe odżywianie ze zbyt dużą ilością pokarmów zwierzęcych i niedostateczną ilością świeżych produktów roślinnych. Niewłaściwa dieta niekorzystnie wpływa na przemianę materii w chrząstkach stawowych.
Franziska J. ma 34 lata i szczupłą budowę. Pewnego ranka zauważa mocne zaczerwienienie i bolesne opuchnięcie stawów dłoni. Zimne okłady przynoszą chwilową ulgę, ale nie trwałą poprawę. Badanie krwi dowodzi silnego zapalenia.
U Franziski J. potwierdza się diagnoza przewlekłego zapalenia stawów. Przyczyny są tylko częściowo znane. Ważną rolę odgrywają skłonności genetyczne. Kontrowersje budzi kwestia, czy przyczyną

mogą być obciążenia psychiczne. Przy przewlekłym zapaleniu stawów układ odpornościowy organizmu wytwarza przeciwciała przeciw błonie śluzowej stawów (maź stawowa). W ten sposób dochodzi nie tylko do przewlekłego zapalenia, ale także, przy braku leczenia, do zniekształcenia i zesztywnienia dotkniętych stawów.

Jakie metody terapeutyczne można stosować?

Wyróżnia się cztery główne strategie:
- leki,
- terapia fizyczna,
- operacja,
- optymalizacja odżywiania i stylu życia.

Leki

Przede wszystkim przy silnych zapaleniach stawów może być konieczny (przynajmniej przejściowo) kortyzon lub inne silne leki chemiczne takie jak metothrexat (MTX). Poza tym stosuje się tak zwane niesteroidowe leki przeciwzapalne, NLPZ. Chodzi o leki, które mają silne działanie przeciwzapalne i przeciwbólowe.

Wszystkie z tych leków zmniejszają co prawda dolegliwości i mogą powstrzymać degenerację stawów przede wszystkim przy zmianach zapalnych. Nie umożliwiają jednak prawdziwego leczenia. W dodatku przy dłuższym stosowaniu występują niekiedy silne skutki uboczne, na przykład osłabienie układu odpornościowego i krwawienia żołądkowe.

MTX zmniejsza poziom kwasu foliowego, więc przy przyjmowaniu leku należy stosować dodatkowe środki (kwas foliowy Stada®, Hevert®), jednak w praktyce lekarze rzadko zwracają na to uwagę.

Terapia fizyczna

Terapia fizyczna opiera się przede wszystkim na stosowaniu zimna i ciepła. Obowiązuje przy tym poniższa żelazna zasada.
- Poważne zapalenia z przegrzaniem stawów wymagają stosowania zimna, na przykład w formie okładów lodowych, zimnych okładów lub chłodzących maści.

– Degeneracyjne zwyrodnienia stawów łagodzi się zwykle ciepłem – ciepłym okładami, okładami z fango, rozgrzewającym maściami.

Operacja

Przy poważnych zapaleniach może być konieczne operacyjne usunięcie błony maziowej stawu, by złagodzić zapalenie i uniknąć poważnych deformacji. W fachowym nazewnictwie określa się ten zabieg jako „synovectomia".

Operacja może być konieczna również przy poważnym zwyrodnieniu stawów. Sztuczne stawy stosuje się często przy zwyrodnieniach stawu biodrowego i kolanowego.

Co można zrobić samemu?

U pacjentów ze zwyrodnieniem stawów należy dążyć do normalizacji wagi ciała. Zmniejszenie wagi ciała odciąża stawy.

Umiarkowany trening ruchowy, na przykład jazda na rowerze, pływanie lub nordic walking, pobudza przemianę materii w stawach i już po kilku dniach – przeprowadzany regularnie po 20-30 minut dziennie – łagodzi dolegliwości.

Jeśli chodzi o odżywianie, należy dążyć do ograniczenia pokarmów zwierzęcych i zwiększenia ilości świeżych pokarmów roślinnych. Pacjenci często opowiadają, że do złagodzenia dolegliwości prowadzi przede wszystkim rezygnacja z wieprzowiny i produktów wieprzowych. Wielu odczuło ulgę dzięki wielotygodniowej diecie opartej na surowiźnie.

Przestaw się na pełnowartościową dietę

Na dłuższą metę należy dążyć do przestawienia się na pełnowartościową dietę bogatą w substancje odżywcze. Sprawdzona jest kuchnia powszechna w krajach śródziemnomorskich – dużo świeżych produktów roślinnych, pełnowartościowy tłuszcz roślinny (oliwa!), ryby, niewiele krwistego mięsa.

Przy chronicznym zapaleniu stawów sytuacja wygląda poważniej. Wielu pacjentów cierpi na niedowagę. W dodatku przewlekłe zapalenie stawów prowadzi do nasilonego zużycia żelaza, a to może powodować anemię. Dieta czysto wegetariańska jest w tym przypadku problematyczna ze względu na niedobór żelaza. Zatem jaka strategia pomaga?

Warto wiedzieć

Dieta „reumatyczna"

W zależności od budowy ciała pacjenta dieta nie musi być ściśle wegetariańska. Przy szczupłej, astenicznej budowie, skłonności do marznięcia i wrażliwym układzie pokarmowym najlepsza jest dieta mieszana i łatwa do przyswojenia.
Można spożywać umiarkowane ilości jagnięciny i drobiu (o ile jednocześnie nie występuje artretyzm). Należy indywidualnie wypróbować przyswajalność produktów.

Unikaj kwasu arachidowego!

Kwas arachidowy to substancja, która nie powinna występować w diecie dla reumatyków. Chodzi o kwas tłuszczowy, który zawarty jest przede wszystkim w produktach zwierzęcych. Sprzyja zarówno zapaleniom, jak i zakrzepom (zamknięcie naczynia krwionośnego). Przeciętna osoba spożywa cztero-, a nawet sześciokrotnie więcej niż wynosi zalecana dawka. Celem jest zatem ograniczenie spożycia kwasu arachidowego. Dodatkowo należy zwiększyć ilość pokarmów, które ograniczają działanie kwasu arachidowego. Są to w pierwszej kolejności specjalne kwasy tłuszczowe zawarte przede wszystkim w oleju rybnym i w niektórych olejach roślinnych, na przykład oleju lnianym (kwas alfa-linolowy), czyli kwasy tłuszczowe Omega 3.

Zawartość kwasu arachidowego (mg/100 g)	
warzywa, ziemniaki, orzechy, owoce, produkty sojowe	0
mleko krowie	4
camembert	34
jaja (łącznie)	70
wieprzowina	120
kiszka wątrobiana	230
smalec wieprzowy	1700

Podsumowując, osoby z zapalnymi schorzeniami stawów powinny co prawda preferować dietę roślinną, ale jednocześnie spożywać odpowiednio dużo ryb zimnowodnych (dwa, trzy razy tygodniowo) oraz stosować wysokowartościowe oleje roślinne (olej lniany, olej rzepakowy, oliwa) tłoczone na zimno. Warto także przyjmować kapsułki z olejem rybnym.

Produkty zbożowe

Choć w ramach zdrowej, pełnowartościowej diety często zaleca się spożywanie dużej ilości produktów zbożowych, nie zawsze są one dobrze przyswajane. U pacjentów cierpiących na reumatyzm można zaobserwować, że korzystne efekty przynosi zmniejszenie lub nawet rezygnacja z zawierających gluten odmian zbóż (pszenica, żyto, orkisz i owies) i częstsze stosowanie zbóż bezglutenowych takich jak owies, ryż, kukurydza, amarant i komosa.

Warzywa i owoce

Choć większość warzyw jest bez problemu przyswajana przez reumatyków, należy zachować ostrożność przede wszystkim przy kwaśnych owocach. Mogą one nasilać dolegliwości reumatyczne. Szczególnie w przypadku jabłek należy zwracać uwagę na kwas jabłkowy. Niektórzy jedzą znaczne ilości jabłek, myśląc, że to wskazane, i dziwią się, gdy stan zdrowia się pogarsza. Oczywiście reakcja zależy od dojrzałości i gatunku jabłka. Ogólnie rzecz biorąc, reumatycy powinni jednak ograniczyć ilość spożywanych jabłek i innych kwaśnych owoców (na przykład jagód).

Korzystniejsze jest jedzenie owoców ubogich w kwasy i bogatych w enzymy, takich jak melony i mango. Również ananas ze względu na wysoką zawartość bromeliny, która ma działanie przeciwzapalne, pozytywnie wpływa na stan pacjentów cierpiących na reumatyzm.

Ziemniaki to wspaniałe źródło zasad. Są bogate w potas i witaminę C oraz wysokowartościowe roślinne białko. Dodatkowo pobudzają wydzielanie wody i zawierają niewiele kalorii. Pozytywne działanie mają jednak tylko ziemniaki gotowane w mundurkach. Procesy denaturalizacji, jakie przechodzą na przykład frytki lub chipsy, likwidują zalety i w rezultacie ze zdrowego, odkwaszającego pokarmu powstaje pożywienie obciążające przemianę materii i powodujące choroby.

Napoje

Na dolegliwości bólowe wpływa zarówno pożywienie, jak i napoje. Typowe napoje zakwaszające takie jak kawa, czarna herbata, a także czerwone gatunki herbaty (herbata głogowa, z malwy, owocowa) mogą pogarszać objawy reumatyczne.

Ze względu na pobudzanie przemiany materii i trawienia oraz działanie moczopędne korzystne są żółte i zielone herbaty na przykład z kopru, melisy, rumianku, skrzypu, pokrzywy i mięty. Również zielona herbata, o ile pochodzi z kontrolowanej uprawy bez pestycydów i metali ciężkich, ma pozytywny wpływ.

Układ pokarmowy wspomóc można w miarę potrzeby poprzez dni odpoczynku, czyli dni ryżu, ziemniaków, owoców lub warzyw. Mogą być one jednorazowe lub przeprowadzane kilkukrotnie nawet przez wiele tygodni. W ramach terapii warto wprowadzić na stałe jeden dzień odpoczynku na tydzień, na przykład dzień ziemniaków.

Odżywianie przy schorzeniach reumatycznych – przykładowe zestawienie

Główna zasada: wegetariańska dieta zasadowa

źle	**dobrze**
wieprzowina, produkty wędzone	jagnięcina, drób
cukier	syrop z agawy
kawa, czarna herbata,	„czerwona" herbata zielona, żółta herbata, woda
tłuszcze smażone/podgrzewane	tłuszcze roślinne (niepodgrzewane)
jabłka, śliwki	melon, ananas, mango
zboża zawierające gluten	zboża bezglutenowe
ocet	olej/cytryna warzywa (surowe/duszone)
frytki, chipsy	ziemniaki w mundurkach

Surowizna

Surowe pokarmy sprawdzają się u pacjentów o budowie atletycznej lub pyknicznej, którzy mają sprawny układ pokarmowy. U takich osób dieta oparta na surowiźnie powoduje trwałe odciążenie przemiany materii, co już po kilku tygodniach równa się efektowi zdrowotnego postu. W tych przypadkach surowa dieta może stanowić ważną podstawę odżywiania, choć zwykle nie jedyną.

Witaminy

Przez długi czas działanie witamin było dyskusyjne. Badania naukowe dowodzą, że przy zapalnych schorzeniach stawów niemal zawsze występuje niski poziom witaminy E. Samo dostarczanie witaminy E ma zwykle niewielkie skutki, ponieważ witamina ta jest niszczona przez procesy zapalne. Jeśli jednak dodatkowo dostarczamy do organizmu witaminę C, można zaobserwować wyraźne osłabienie zapalenia. Warto dziennie spożywać 200 mg witaminy E i 200 mg witaminy C.

Selen wspomaga wytwarzanie w organizmie substancji powstrzymujących zapalenie. 200 μg dziennie łagodzi dolegliwości.

Warto wiedzieć

Podsumowanie zaleceń:

- Preferuj pokarmy roślinne – maksymalnie dwa razy tygodniowo jedz mięso (ale nie wieprzowinę).
- Sięgaj po wysokowartościowe oleje roślinne (olej lniany, rzepakowy, oliwa) i unikaj tłuszczów zwierzęcych.
- Jedz regularnie ryby, ewentualnie spożywaj dodatkowo olej rybny.
- Dbaj o dostateczną ilość odpowiednich witamin i składników mineralnych, szczególnie witaminy E, witaminy C, selenu i cynku.

Połącz dietę z terapią oczyszczającą

W wielu wypadkach oprócz terapii żywieniowej warto zastosować sprawdzone zabiegi oczyszczające, na przykład stawianie baniek.

Dzięki zastosowaniu próżniowych szklanych baniek pobudzone zostają ukrwienie, układ limfatyczny i przemiana materii, a przy „krwawych" bańkach końcowe produkty przemiany materii są dodatkowo wydalone przez skórę. Wydalenie trucizn zmniejsza w tkankach ilość substancji wywołujących ból i zapalenia. Bańki suche lub cięte stawia się w zależności od typu budowy ciała.

Medycyna roślinna

Pomocne są ekstrakty z pokrzywy i czarciego pazura. Sprawdzają się wszystkie rośliny, które mają działanie „odtruwające”, najlepiej wpływające bezpośrednio na wątrobę i nerki. Należą do nich na przykład mniszek lekarski, brzoza i ortosyfon.

Korzystne dla nerek są pobudzające wydalanie herbaty, np. herbata ze skrzypu lub pokrzywy.

Informacja

Przy zapalnych schorzeniach reumatycznych nie należy spodziewać się zbyt wiele po preparatach roślinnych!

Terapia enzymowa

Można spróbować powstrzymać procesy reumatyczne stosując wysokie dawki enzymów.

Terapia neuralna

Korzystna jest również terapia neuralna według Hunekego. Miejscowy środek znieczulający w połączeniu z różnymi substancjami regenerującymi stawy zostaje wstrzyknięty w bolesne miejsce. Pacjenci dobrze znoszą ten rodzaj terapii.

Wspomóż pracę jelit

Należy także wspomagać pracę jelit. Jeśli cierpisz na zaburzenia trawienia, nasilone wzdęcia i podobne dolegliwości, warto przeprowadzić oczyszczanie jelit. W tym celu można zastosować terapię mikrobiologiczną. Służą do tego wspomniane już liczne preparaty biologiczne, na przykład z rzędu Symbioflor takie jak Pro-Symbioflor, Symbioflor I i Symbioflor II lub Rephalysin®, Biocult® comp. lub Mutaflor®.

Wskazówka

Odtruwać organizm można również przez skórę, zadbaj więc o pobudzenie potów. Sprawdza się sauna lub irlandzko-rzymska kąpiel parowa.

Artretyzm

Z PRAKTYKI LEKARSKIEJ

Powstrzymać artretyzm?

Przypadek 1. Hannelore S. ma 64 lata. Do tej pory nigdy poważnie nie chorowała. Coroczne badania kontrolne u domowego lekarza wykazywały stan typowy dla wieku. Od pewnego czasu pacjentka obserwuje, że czubki palców stają się coraz grubsze i bolesne. Podejrzewa, że chodzi o artretyzm i dlatego udaje się do ortopedy.
Przypadek 2. Peter N. ma 34 lata i nadwagę. Odżywia się nieregularnie, ale codziennie wypija wieczorem 1-2 butelki piwa. Po zabawie sylwestrowej nagle pojawia się u niego dotkliwy ból w prawym dużym palcu u nogi. Staw jest wyraźnie opuchnięty i zaczerwieniony. Peter N. natychmiast zażywa tabletkę przeciwbólową. Nie prowadzi to do wyraźnej poprawy. Z powodu utrzymującego się bólu następnego ranka udaje się do szpitala.

Co się za tym kryje?

W pierwszym przypadku nie chodzi o artretyzm. Nawet jeśli powszechnie za artretyzm uznaje się różne dolegliwości stawów, prawdopodobnie chodzi o zespół Heberdena. Dotyczy on przede wszystkim czubków lub środkowych części palców. Jest silnie uwarunkowany genetycznie i z trudem poddaje się terapii.
U Petera N. występują wszystkie objawy typowego ataku artretyzmu. Artretyzm występuje zwykle u atletycznie zbudowanych mężczyzn. Dotyka ich 20-krotnie częściej niż kobiet. Objawy pojawiają się wtedy, gdy organizm wytwarza zbyt wiele kwasu moczowego lub kwas moczowy nie jest dostatecznie szybko wydalany przez nerki.

Kwas moczowy to produkt przemiany materii

Do nadprodukcji prowadzi przede wszystkim niewłaściwa dieta z nadmierną ilością pokarmów sprzyjających powstawaniu kwasu moczowego. Są to pokarmy bogate w purynę.

Pokarmy o wysokiej zawartości puryny (zawartość puryny w mg/%):

Pochodzenia zwierzęcego:

koncentrat wołowy	3500
grasica cielęca	1030
sardynki w oleju	560
wędzony łosoś	240
kurczak	170
kotlet wieprzowy	120

Również niektóre produkty roślinne zawierają znaczne ilości puryny i dlatego zagrożone artretyzmem osoby powinny ograniczać ich spożycie:

soczewica	190
groch	150
fasola (biała)	130

Dla porównania:

ziemniaki	5
oleje i tłuszcze	0

Powyższa lista pokazuje, że wbrew powszechnej opinii pokarmy roślinne tylko w nikłym stopniu odpowiadają za procesy artretyczne. Decydujący jest nadmiar pokarmów zwierzęcych, szczególnie wnętrzności oraz silnie przetworzonych produktów mięsnych i wędlin.

Oprócz pokarmów należy zwracać uwagę na odpowiednią ilość napojów (2-3 litry dziennie), najlepiej w formie wody mineralnej zawierającej niewiele soli lub ziołowej herbaty.

Na poziom kwasu moczowego mogą też wpłynąć przyjmowane leki i inne dostarczane do organizmu substancje. Przykładowo do wzrostu produkcji kwasu moczowego prowadzą:

- pewne silnie oddziałujące leki stosowane przy nowotworach,
- leki stosowane przy chorobach trzustki,
- alkohol,
- witamina B12.

Zawartość mocznika we krwi rośnie także wtedy, gdy zmniejsza się jego wydalanie przez nerki. Powodują to na przykład:

- niemal wszystkie chemiczne środki sprzyjające odwodnieniu,
- leki na gruźlicę,

- niektóre leki na chorobę Parkinsona,
- alkohol.

Artretyzm zwykle objawia się atakami, przede wszystkim po hucznych przyjęciach, ponieważ alkohol zwiększa obciążenie organizmu kwasem moczowym.

Diagnoza

Za pomocą badania krwi można stwierdzić, jak wysoki jest poziom kwasu moczowego. U kobiet górna granica wynosi 5,7 mg/dl, u mężczyzn 7,0 mg/dl. Wartości tuż poniżej granicy nie wykluczają jednak ataków artretyzmu. Niektórzy lekarze twierdzą, że u mężczyzn dopiero poniżej 5,0 mg/dl można być pewnym, że nie dojdzie już do ataków.

Terapia

Przy poważnym ataku artretyzmu należy najpierw złagodzić objawy. Leki obniżające poziom kwasu moczowego nie wystarczają, ponieważ działają zbyt wolno. Dlatego trzeba zastosować środki natychmiastowo uśmierzające ból. W takim przypadku pomagają leki przeciwreumatyczne. Zwykle wystarczy je stosować przez jeden lub dwa dni. Dodatkowo korzystne jest chłodzenie stawów, a także odpoczynek w łóżku.

Dieta powinna być konsekwentnie uboga w puryny. Jednocześnie należy zwiększyć ilość przyjmowanych płynów, by pobudzić wydzielanie kwasu moczowego przez nerki. W tym celu nadają się wody o niskiej zawartości minerałów i ziołowe herbaty.

Przy dłuższej terapii może być konieczne przyjmowanie leków obniżających poziom kwasu moczowego. Najczęściej stosuje się allopurinol. W aptekach dostępny jest pod różnymi nazwami. Jego działanie polega na ograniczeniu napływu kwasu moczowego do krwi, co odciąża nerki, może więc dojść do spontanicznego odkładania się kwasu moczowego w tkankach.

U pacjentów, którzy mają skłonność do jego podwyższonego poziomu kwasu moczowego lub cierpią na kamienie nerkowe i zapalenia stawów, na dłuższą metę może być konieczne przyjmowanie środków obniżających poziom kwasu moczowego. W przeważającej części przypadków, przy konsekwentnej zmianie odżywiania i rezygnacji z alkoholu, udaje się złagodzić lub zlikwidować objawy również bez stosowania leków. Dlatego warto pamiętać:

- Artretyzm to typowe zjawisko cywilizacyjne.
- W czasach niedostatku tuż po II wojnie światowej artretyzm był nieznany.
- Nadwaga sprzyja wielu schorzeniom cywilizacyjnym, w tym artretyzmowi. Dlatego normalizacja wagi i związana z tym poprawa przemiany materii to podstawa terapii.

Pamiętajmy

Alkohol jest podwójnie niekorzystny. Nasila produkcję kwasu moczowego i jednocześnie hamuje jego wydalanie. Dlatego w leczeniu artretyzmu decydującym warunkiem jest konsekwentne unikanie alkoholu!

Szczególnie niekorzystne jest piwo! Pomijając niekorzystny wpływ alkoholu (patrz wyżej), piwo zawiera guanozynę, substancję, która znacznie podwyższa poziom kwasu moczowego. Kto zatem wierzy, że piwo sprzyja płukaniu nerek, jest w błędzie. Piwo powoduje tak zwaną osmotyczną diurezę, odwadnia cały organizm i trwale zaburza przemianę materii!

Świąd

Medycyna naturalna traktuje ból jako wyraz przeciążenia organizmu „kwaśnymi" produktami przemiany materii i „wołanie" o wydalenie trucizn. Świąd traktowany jest podobnie. W niniejszym rozdziale będzie mowa nie o świądzie pojawiającym na skutek określonej choroby skóry lub ugryzienia owada. Chodzi raczej o problematykę „prurigo sine materiam", czyli świądu występującego bez innych objawów, gdy dermatolog nie stwierdza żadnych nieprawidłowości.

Najprostszą przyczyną świądu, szczególnie u osób starszych, jest zbyt sucha skóra. Sucha skóra wiąże się z indywidualnymi skłonnościami, ale także z nadmiernym myciem i/lub stosowaniem wyługowujących syntetycznych detergentów i mydeł. W tym przypadku jako środek zapobiegawczy można stosować terapię natłuszczającą. Zamiast drogich maści zawierających niekiedy składniki powodujące alergię można jako prosty środek domowy stosować nacieranie oliwą.

Pamiętać trzeba jednak, że świąd oznacza, iż organizm chce się pozbyć końcowych produktów przemiany materii, ponieważ jest przeciążony albo poszczególne narządy nie mogą odpowiednio spełniać swojej funkcji w przemianie materii i wydalaniu. Oprócz miejscowego leczenia maściami trzeba zawsze zastanowić się, jak usprawnić przemianę materii od wewnątrz.

Odżywianie

Jeśli chodzi o odżywianie, należy postępować stopniowo. Początkowo na próbę unikaj przez kilka tygodni pokarmów, które często wywołują objawy alergiczne lub pseudoalergiczne.

Warto konsekwentnie zrezygnować z krowiego mleka i produktów pszennych. W licznych testach alergicznych mąka pszenna wciąż okazuje się substancją krytyczną, choć powszechna alergologia tego nie potwierdza. Dla leczenia jest jednak nieistotne, czy chodzi o prawdziwą czy tak zwaną pseudoalergię.

Jeśli po czterech tygodniach stan się nie poprawi, można zaostrzyć dietę, na przykład przez dni odpoczynku lub surowizny, w razie potrzeby również przez leczniczy post według Buchingera, o ile jest on możliwe ze względu na wiek i budowę ciała. Po takiej terapii niemal zawsze następuje trwała poprawa.

Homeopatia

Odpowiednim zabiegiem homeopatycznym są leki:
- na pobudzenie krwiobiegu i przemiany materii,
- na pobudzenie nerek,
- na pobudzenie wątroby,
- na pobudzenie jelit.

Okłady wątroby

Szczególnie przy występowaniu świądu nocnego należy wziąć pod uwagę nasiloną pracę wątroby i wprowadzić odpowiednie środki zapobiegawcze. Warto stosować wieczorne okłady wątroby.

Zrezygnuj z alkoholu

Przez dwa do trzech tygodni należy konsekwentnie unikać wszelkiego alkoholu, szczególnie wieczorem. Kolacja powinna zawierać jak najmniej zwierzęcego białka i być spożywana regularnie, najpóźniej o godzinie 19.00.

Medycyna roślinna

Na narządy korzystnie wpływają preparaty roślinne z ostropestu plamistego lub karczochów oraz preparaty homeopatyczne.

Istnieje ścisły związek między jelitami a wątrobą. Większa część krwi z jelit jest dostarczana przez układ żył wrotnych do wątroby. Im bardziej obciążona jest funkcja jelit, tym silniejsze przeciążenie przemiany materii w wątrobie. Dlatego oprócz pobudzenia wątroby warto często przeprowadzić dodatkowe oczyszczanie jelit.

Jeśli świąd występuje w dokładnie określonym miejscu, warto zwrócić uwagę na strefy refleksyjne. Może tu pomóc schemat sfer do stawiania baniek. Jeśli na przykład świąd występuje między łopatkami, trzeba pomyśleć o obszarze wątroby-woreczka żółciowego-żołądka-trzustki czyli górnej części jamy brzusznej.

W takim przypadku pomaga pobudzenie określonego organu wewnętrznego.

Kaszel i ciągłe odchrząkiwanie

Niektóre osoby doprowadza to niemal do białej gorączki, choć nie jest groźne dla życia i obiektywnie niezbyt poważne. Jednak uczucie nieustannego drapania w gardle, a także chroniczny kaszel z czasem stają się dla pacjenta coraz bardziej dolegliwe, przede wszystkim im bardziej sobie to uświadamia.

Zacznijmy od typowego przypadku. Pacjent został dokładnie przebadany przez pulmonologa i laryngologa. Nie znaleziono przyczyny objawów, więc stwierdzono czynniki „psychogeniczne". Oczywiście pacjent z reguły nie czuje się usatysfakcjonowany takim uzasadnieniem. „Musi być przecież jakaś przyczyna", stwierdza słusznie.

Poszukiwanie przyczyn

Potrzebna jest tu prawdziwa praca detektywistyczna. Powinniśmy wziąć pod uwagę możliwość atypowej alergii (pseudoalergii). Należy na próbę zrezygnować z określonych pokarmów, co zwykle przynosi ulgę. Trzeba wziąć pod uwagę typowe alergeny takie jak krowie mleko, białko i pszenna mąka.

Sensowne mogą być również dni odpoczynku i postu. W ten sposób szybko stwierdzimy, czy odciążenie przemiany materii pomaga usunąć objawy. Zgodnie z doświadczeniem ta metoda w przynajmniej jednej trzeciej przypadków prowadzi do znacznego złagodzenia lub całkowitego ustąpienia dolegliwości.

W kolejnej jednej trzeciej przypadków pomaga następująca metoda. Chroniczny kaszel lub drapanie w gardle stanowi oznakę miejscowego przeciążenia przemiany materii. Aby ją pobudzić można zastosować środki wzmacniające układ limfatyczny i ukrwienie. Układ limfatyczny na obszarze gardła pobudzają kompleksowe preparaty homeopatyczne.

Warto wiedzieć

Pobudzanie ukrwienia

Aby dodatkowo pobudzić ukrwienie warto zastosować okłady Priessnitza na obszarze torsu lub szyi, ewentualnie także naświetlanie podczerwienią lub wilgotne, ciepłe okłady górnej części klatki piersiowej.

W ciągu ostatnich lat coraz częściej zaczęła występować inna przyczyna. Kaszel i drapanie gardła są skutkiem ubocznym stosowania leków i występują zwłaszcza podczas przyjmowaniu inhibitorów konwertazy angiotensyny i tak zwanych sartanów. Obie te grupy leków przepisuje się przy niewydolności serca lub nadciśnieniu. Dlatego jeśli stosujesz te preparaty i cierpisz na skutki uboczne, porozmawiaj z lekarzem i spytaj o możliwe alternatywy!

Szum w uszach

Lekarze zbierają wyjątkowe doświadczenie. Częstotliwość występowania schorzenia w oczywisty sposób wiąże się z liczbą doniesień w mediach o danej dolegliwości. W połowie i pod koniec lat dziewięćdziesiątych, gdy szum w uszach stanowił temat numer jeden, objawy szerzyły się niczym epidemia. Nie było dnia, żeby nie dzwonił zatroskany pacjent skarżący się na pogorszenie słuchu, które doprowadziło do szumu w uszach. Specjalistyczne kliniki wyrastały niczym grzyby po deszczu i nie mogły opędzić się od pacjentów. Wiele szpitali zaopatrzono w komory ciśnieniowe do terapii tlenem hiperbarycznym.

Najpierw odkryj przyczyny, potem zastosuj terapię

W wielu przypadkach zastosowana terapia okazuje się nieskuteczna. Wiąże się to z przyczynami szumu w uszach. Twierdzenie, że chodzi po prostu o zaburzenie ukrwienia, można zazwyczaj odłożyć ad acta. Gdyby tak było, pomagałyby środki pobudzające ukrwienie – a z reguły nie są one skuteczne. Stosowanie zabiegów poprawiających ukrwienie ma sens tylko wtedy, gdy pacjent cierpi na nadciśnienie lub podwyższony poziom hematokrytu. W takiej sytuacji dochodzi do zaburzeń ukrwienia. Po przeprowadzeniu puszczanie krwi lub innej kuracji obniżającej ciśnienie, stan pacjenta gwałtownie się poprawia.

Często na podstawie samego wywiadu lekarskiego można ocenić, czy zachodzi opisana sytuacja. Zwłaszcza gdy szum w uszach występuje raz słabiej, raz silniej, a czasem całkiem zanika lub narasta wraz z ciśnieniem krwi, wtedy prawdopodobnie przyczyną jest niedostateczne ukrwienie.

Skuteczna metoda relaksacyjna

Tylko w niewielu przypadkach występują tego typu objawy. U większości pacjentów cierpiących na szum w uszach dolegliwości rozwijają się

Wskazówka

Kto pracuje umysłowo, powinien wybrać ćwiczenia, które zawierają także elementy oddechowe i ruchowe (na przykład tai chi).

stopniowo i powoli, początkowo w jednym uchu, potem w drugim. Ogólnie rzecz biorąc szum w uszach, który utrzymuje się od wielu lat, nie rokuje dobrze. Mimo to sytuacja nie jest beznadziejna. Istnieją sprawdzone metody pozwalające przynajmniej złagodzić objawy. Najważniejsze: konsekwentna terapia relaksacyjna.

Mówiąc wprost, unikaj negatywnego stresu i przynajmniej raz dziennie, najlepiej przed snem, przeprowadzaj ćwiczenia relaksacyjne takie jak tai chi lub trening autogeniczny. Zapisz się na odpowiednie kursy. Naucz się tej metody relaksacyjnej, którą intuicyjnie uważasz za najlepszą.

Stawianie baniek także może pomóc

Często można stwierdzić następującą zależność. Negatywny stres prowadzi do napięć w karku. Przez napięcie mięśni dochodzi do zesztywnień na obszarze kręgów szyjnych, co także może nasilić szum w uszach. W takiej sytuacji przynieść ulgę może stawianie baniek, najczęściej w formie baniek ciętych.

Nie zapominaj o obciążeniach energetycznych

Szum w uszach w niektórych wypadkach może być wyrazem zaburzeń pola. Oprócz nieznanych ognisk zapalnych, na przykład w zębach, istotną rolę mogą odgrywać blizny. Należy zwrócić uwagę zwłaszcza na blizny położone na meridianach akupunkturowych związanych z uszami. Sprawdź blizny po szczepionce na ospę, które mogą być umiejscowione na meridianie jelita grubego lub meridianie potrójnego ogrzewacza.

(Przewlekłe) zapalenie zatok nosowych – częsta przyczyna

Pacjenci często opowiadają, że szum w uszach nasila się przy przeziębieniu, szczególnie wtedy, gdy zakażone są zatoki nosowe. Co dziwne, zjawisku temu zaprzeczają niektórzy laryngolodzy, choć jest ono logiczne i całkiem prawdopodobne. Przy przeziębieniu dochodzi do obrzęku z udziałem trąbki Eustachiusza. W ten sposób w uchu środkowym powstaje rodzaj rezonansu, akustyczne nasilającego szum w uszach. Znaczną poprawę przynoszą środki zmniejszające obrzęk nosa i ucha środkowego. Mogą to być po prostu „krople do nosa". Przy przewlekłym zapaleniu stosuje się zaawansowane leczenie zatok nosowych.

Przebieg meridianów w ludzkim ciele

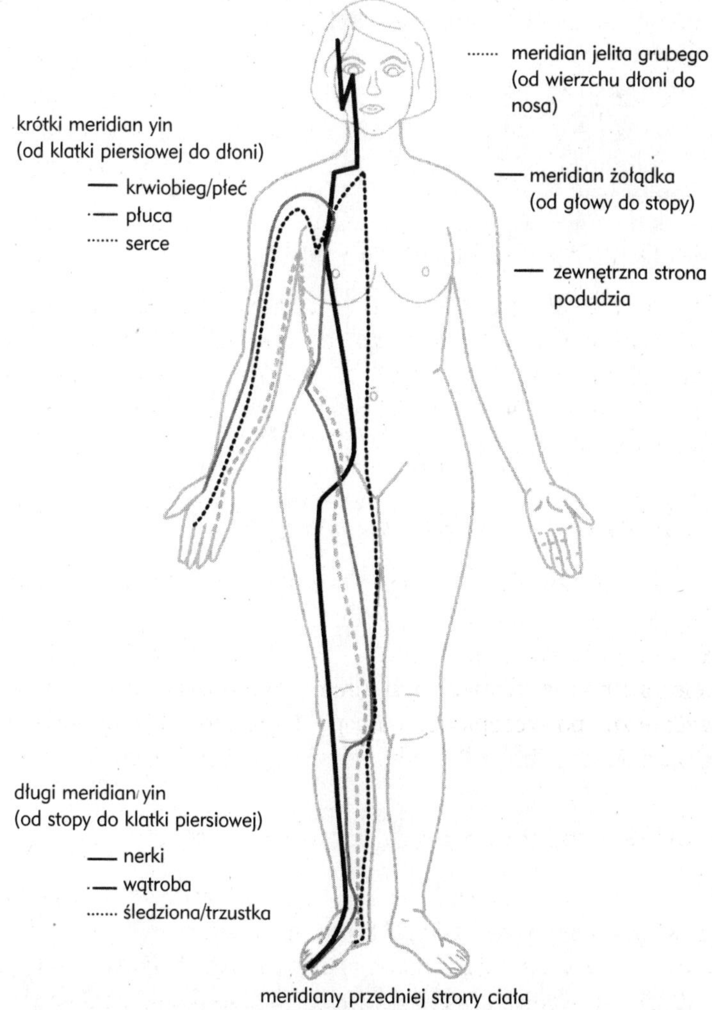

meridiany przedniej strony ciała
(wszystkie meridiany przebiegają po obu stronach)

Panie doktorze, nie mam na nic siły

Stany wyczerpania i zmęczenia zdarzają się coraz częściej, nie ma co do tego wątpliwości. Z reguły nie kryją się za nimi poważne schorzenia. Mimo to należy wziąć pod uwagę i wykluczyć diagnostycznie przynajmniej podstawowe choroby. Warto uwzględnić przede wszystkim:

- przewlekłe stany zapalne, np. zapalenie wątroby,
- depresje,
- schorzenia wewnętrzne,
- zaburzenia czynności tarczycy.

Ważne jest także wykluczenie poważnych schorzeń. W tym celu przeprowadza się badania krwi, na przykład aby rozpoznać zapalenia, anemię, schorzenia wątroby lub nerek albo zaburzenia tarczycy.

Przy podejrzeniu schorzeń odcinka żołądkowo-jelitowego może zajść potrzeba orientacyjnego USG jamy brzusznej oraz diagnostyki gastroenterologiczna. Należy też wziąć pod uwagę schorzenia endokrynologiczne, a szczególnie zaburzenia tarczycy.

Nie w każdym przypadku trzeba wyczerpać wszystkie możliwości diagnostyczne. Celowy wywiad lekarski może być wystarczającą wskazówką co do możliwych przyczyn.

Jeśli dolegliwości rozwijają się stopniowo przez wiele miesięcy lub lat, często ich łączny efekt prowadzi do przeciążenia przemiany materii i typowych dolegliwości funkcjonalnych.

Na szczęście w większości przypadków nie chodzi o poważne schorzenie. Pacjent słyszy, że jest „w zasadzie zdrowy" i „musi z tym żyć", a choroba ma podłoże „psychosomatyczne". Właśnie z tego powodu wielu pacjentów porzuca tradycyjne leczenie i kieruje się do specjalistów od medycyny naturalnej lub homeopatii.

Ważne

Jeśli objawy są bardzo intensywne, co zdarza się często po zagranicznej podróży lub przebytej infekcji, może chodzić o zaburzenia środowiska przewodu pokarmowego, na przykład spowodowane wirusem.

„Zespół przewlekłego zmęczenia"

Nie można dać się przestraszyć taką diagnozą. „Zespołem przewlekłego zmęczenia" od kilku lat nazywa się chroniczne zmęczenie, którego nie da się wytłumaczyć internistycznie. Rzekomo nie istnieją jego bezpośrednie przyczyny.

W ostatnich latach niektórzy terapeuci za przyczynę zespołu przewlekłego zmęczenia uznawali infekcję wirusową. Rzeczywiście u pacjentów wykrywane są pozytywne przeciwciała typu IgG na wirus Epsteina-Barr. To one mają być odpowiedzialne za zespół zmęczenia. Prawdziwość tej tezy jest jednak wątpliwa. Około 90 procent wszystkich ludzi, także tych niedotkniętych zespołem zmęczenia, wykazuje te przeciwciała. Przeciwciała IgG dowodzą jedynie, że organizm miał kiedyś styczność z danym wirusem. Z reguły ich obecność w organizmie utrzymuje się przez całe życie.

Dowodzi to, że skupianie się na jednej przyczynie stanowi ślepą uliczkę. Lepiej od początku zgodnie z modelem beczki (patrz s. 17) brać pod uwagę splot czynników.

Nie daj się zapędzić w kozi róg

Wciąż spotyka się pacjentów, którzy traktują tę diagnozę jako pieczątkę i od tej pory wypowiadają się na temat zespołu przewlekłego zmęczenia: „Cierpię na schorzenie, którego przyczyna jest nieznana i na które nie ma leku. Wszystkie zalecenia, na przykład dotyczące zmiany stylu życia, nie mają sensu, ponieważ nikt nie wie, skąd właściwie bierze się ta choroba".

Przed takim nastawieniem można tylko ostrzegać. Jest ryzykowne. Medycyna kliniczna nie zna przyczyn, ponieważ w wielu przypadkach schorzenia nie da się stwierdzić poprzez badania laboratoryjne ani innymi metodami. Jednak z punktu widzenia medycyny naturalnej istnieje uzasadnienie takiego stanu rzeczy. Objawy występują z powodu przeciążenia przemiany materii i zaburzeń układu odpornościowego. Charakterystyczne jest przede wszystkim to, że symptomy są widoczne przez wiele lat i stopniowo się nasilają.

Jakie metody są skuteczne?

Istotną rolę odgrywa typ budowy!
W przypadku osób pykniczno-atletycznych z dużą masą ciała i nadmiarem ciepła sięgamy po zabiegi odciążające przemianę materii, odtruwające i oczyszczające. Oprócz dni lub tygodni diety opartej na surowiź-

nie, a także postów dla normalizacji wagi, w przypadku stanów zmęczenia zaleca się wzmocnienie wątroby. Służą temu preparaty z ostropestu plamistego, wilgotne, ciepłe okłady wątroby lub naświetlanie podczerwienią. Należy oczywiście unikać alkoholu.

Warto pamiętać, że stres także obciąża wątrobę. Od dawna bierze się to pod uwagę w tradycyjnej medycynie chińskiej. Stąd pozytywne myślenie i ćwiczenia relaksacyjne stanowią ważny element terapii.

Hipokrates może pomóc

Medycyna naturalna oparta na naukach Hipokratesa wyjaśnia zaburzenia funkcjonalne korzystając z odpowiednich modeli.

Ponownie przypomnijmy sobie opisaną na początku przepełnioną beczkę. Przepełnienie beczki przejawia się w ogólnym zmęczeniu i braku energii.

Zadaniem terapeuty jest nie tyle znalezienie substancji usuwającej dolegliwości, lecz przede wszystkim rozpoznanie splotu przyczyn. Podobnie jak przy wielu innych schorzeniach, także przy zespole przewlekłego zmęczenia w grę wchodzą liczne czynniki.

Odtruwanie poprzez dietę

Poniższe metody terapeutyczne oparte są na doświadczeniach empiryczno-praktycznych. W zależności od zaawansowania schorzenia można je stosować pojedynczo lub łącznie.

Przy budowie atletyczno-pykniczej skuteczny jest przede wszystkim trwały **post leczniczy według Buchingera**, a także **kuracja F. X. Mayra.**

Można powiedzieć, że w czasie postu konieczność ciągłego pobierania i przetwarzania pokarmu ulega „odwróceniu". Organizm musi czerpać ze zgromadzonych rezerw i zapasów, zużywać je i wydalać. W ten sposób zostaje oczyszczony niczym pełen sadzy piec, a ogień życia może na powrót silnie zapłonąć. Prowadzi to do znacznej poprawy ogólnej sprawności.

Towarzyszące postowi zabiegi, na przykład zabiegi hydroterapeutyczne, terapia ruchowa i zabiegi fizjoterapeutyczne (masaż stref refleksyjnych, drenaż limfatyczny, masaż akupunkturowy), wspomagają procesy oczyszczania.

Bez wątpienia zdrowotny post według Buchingera jest najskuteczniejszą i przynoszącą najtrwalsze efekty formą terapii, która w dodatku zapewnia regenerację sfery psychicznej.

Przy zespole przewlekłego zmęczenia można alternatywnie zastosować **post bez białka zwierzęcego metodą Wendta** (dietę wegańską), a przejściowo także **dietę opartą na surowiźnie** lub **dni odpoczynku** (dni ziemniaków, dni ryżu). Zaleta: zmiana odżywiania jest stosunkowo łatwa do przeprowadzenia i niekoniecznie wymaga dodatkowych zabiegów lub nadzoru lekarza.

Przy budowie astenicznej i ogólnym zmęczeniu, osłabieniu oraz, jak nazywa to medycyna chińska, „symptomach pustki", oczyszczające metody dietetyczne takie jak wymienione wyżej można stosować jedynie przejściowo, najwyżej przez kilka dni.

Pacjenci o budowie astenicznej potrzebują zabiegów „dostarczających energii". Oprócz substytutów poszczególnych składników odżywczych, na przykład „**odbudowujących zastrzyków**" z witaminami i składnikami mineralnymi, sprawdzają się hydroterapeutycznie **ciepłe kąpiele, masaż stref refleksyjnych stóp, suche bańki** oraz **tonizująca dieta według Aschnera**. Ciepłe i dobrze doprawione posiłki powinny zawierać wysokowartościowe tłuszcze (przede wszystkim nie podgrzewaną oliwę) i w umiarkowanej ilości produkty zwierzęce.

Odtruwanie poprzez wzmocnienie wątroby

W ujęciu tradycyjnej medycyny chińskiej zmęczenie, objawy wyczerpania i depresje stanowią przejaw przeciążenia wątroby. Również w rodzimej medycynie naturalnej zauważamy taki związek. Przeciążenie ogólnej przemiany materii prowadzi do przeciążenia najważniejszego laboratorium organizmu, wątroby. Wątroba wymaga celowego wspomagania. Oprócz modyfikacji odżywiania pobudzeniu wątroby służy szereg prostych zabiegów, choć w medycynie klinicznej przez dziesięciolecia panował wobec tego narządu zaawansowany terapeutyczny nihilizm.

Odtruwanie środkami roślinnymi

Skuteczny jest ostropest plamisty zawierający sylimarinę i sylibininę. Substancje te chronią komórki wątroby i pobudzają syntezę w wątrobie. Krótko mówiąc, wzmacniają zdolność wątroby do odtruwania organizmu. Subiektywnego odczucia poprawy można jednak oczekiwać dopiero po 3–4 tygodniach.

Równie prostym, co skutecznym środkiem fizycznym są wilgotne, ciepłe okłady wątroby. Podczas kuracji postnej zwykle przeprowadzane są w południe, dodatkowo warto stosować okłady wieczorem, ponieważ pomagają zasnąć. Okłady wątroby przypominają okłady brzucha, jedyna różnica polega na tym, że wilgotny, gorący kompres przykłada się po prawej górnej stronie brzucha. Na wierzch kładziemy termofor i przykrywamy ręcznikiem frotte lub wełnianym kocem. Okład zostawiamy na 10–20 minut w zależności od subiektywnego odczucia ciepła pacjenta, po czym zdejmujemy. Z reguły warto stosować taką kurację przez 10–14 dni.

Skuteczne są również naświetlania podczerwienią na obszarze wątroby lub stosowanie tak zwanego zi-zhu, specjalnego chińskiego naświetlacza cieplnego.

Odtruwanie poprzez oczyszczanie jelit

W medycynie naturalnej od ponad dwóch tysięcy lat za przyczynę licznych zaburzeń samopoczucia i schorzeń uznaje się zjawisko tak zwanego „wtórnego zatrucia" z przewodu pokarmowego. Może ono powodować także zmęczenie i wyczerpanie. Choć wyśmiewane przez medycynę kliniczną, badania na przykład prof. dr. Karla Pirleta, wieloletniego profesora na uniwersytecie we Frankfurcie, dowodzą, że niewłaściwa dieta i zaburzenia flory jelitowej prowadzą do powstania produktów rozkładu. Mogą one być wchłaniane przez układ limfatyczny i przez żyły wrotne dostarczane do wątroby.

Aby uzyskać trwałą poprawę, warto uzdrowić naturalne środowisko jelitowe. Główną uwagę należy poświęcić:

- oczyszczaniu jelit,
- optymalizacji odżywiania,
- terapii mikrobiologicznej.

W prostszych przypadkach do oczyszczania jelit można stosować solne środki przeczyszczające (sól gorzka, sól glauberska). Dodatkowo pomaga kolonohydroterapia.

Aby zoptymalizować efekt kolonohydroterapii należy zmienić sposób odżywiania, co pomoże odciążyć przemianę materii. Skuteczne są dni odpoczynku (dni ziemniaków, dni warzyw) lub dieta bez białka zwierzęcego.

Pobudzenie flory jelitowej poprzez terapię mikrobiologiczną wyłącznie w celach zapobiegawczych nie jest konieczne przy jednoczesnej kolonohydroterapii, ale w wielu przypadkach zalecane. Sprawdzają się różne kuracje stopniowe.

Uwaga
Przy zapalnych schorzeniach żołądkowo-jelitowych i kolkach wątrobowych nie należy stosować solnych środków przeczyszczających!

Uważaj na zastój limfy

Przy zaburzeniach środowiska jelitowego często występuje **obrzęk limfatyczny** w jamie brzusznej. Należy wtedy zastosować długotrwałą terapię przy pomocy preparatów pobudzających przepływ limfy. Terapia powinna trwać przynajmniej dwa miesiące, a w wielu wypadkach dłużej. Efekt nie pojawia się od razu i spektakularnie, ale raczej stopniowo, choć jest tym bardziej trwały, a jeśli uwzględnimy pierwotne objawy u pacjenta – wręcz zdumiewający.

Inaczej należy traktować delikatne, asteniczne osoby ze skłonnością do marznięcia i wyczerpania. W takich przypadkach zamiast zabiegów oczyszczających wskazane są:

- delikatne masaże,
- moczenie stóp w wodzie o wzrastającej temperaturze,
- ciepłe i dobrze przyprawione potrawy,
- łagodne hartowanie według kuracji Kneippa oraz kąpiele powietrzne,
- zastrzyki odbudowujące.

Ampułki do picia z wapniem pomagają przy wyczerpaniu i zbyt niskim ciśnieniu. Stabilizują krwiobieg i układ wegetatywny oraz dodatkowo wyrównują niedobór cukru.

Nie zapominaj o tradycyjnych metodach naturalnych

Moczenie stóp w wodzie o rosnącej temperaturze, stosowane przede wszystkim w chłodnych miesiącach, trwale pobudzają ukrwienie nie tylko na obszarze nóg, ale także przez liczne strefy refleksyjne organów wewnętrznych w całym organizmie. Moczenie stóp metodą Hauffego nie obciąża krwiobiegu. Czas trwania: 15-20 minut. Zabieg najlepiej przeprowadzać wieczorem dwa razy w tygodniu.

Sauna to sprawdzona w Skandynawii metoda hartowania ciała, która pobudza poty, a tym samym odtruwanie przez skórę, co jest główną drogą wydalania trucizn z organizmu.

Chodzenie po rosie również oddziałuje przez strefy refleksyjne na organy wewnętrzne i wspaniale wzmacnia układ nerwowy.

Polewania metodą Kneippa na wiele sposobów pobudzają krążenie krwi i limfy, a przez to całą przemianę materii. Należy pamiętać, że polewanie zimną wodą można przeprowadzać tylko wtedy, gdy organizm został wcześniej ogrzany.

Kąpiele powietrzne to prastara metoda. Pacjent wykonuje ćwiczenia gimnastyczne nago przy otwartym oknie przez kilka minut rano i wieczorem. W ten sposób łagodny przepływ powietrza powoduje pobudzenie przemiany materii i odtruwania organizmu przez skórę.

Przewlekłe zapalenie zatok nosowych

Przewlekłe zapalenie zatok nosowych jest w ostatnich latach coraz częstsze. Przyczyniają się do tego klimatyzatory oraz zbyt niska wilgotność powietrza w pomieszczeniach. W sensie tradycyjnej medycyny chińskiej dochodzące z zewnątrz chłodne powietrze osłabia energię i tym samym zwiększa podatność na infekcje.

W przypadku intensywnego zapalenia laryngolog przepisuje antybiotyki, ewentualnie w połączeniu z preparatami uwalniającymi śluz. Jednak co robić, jeśli tego typu infekcje powtarzają się co kilka tygodni lub miesięcy? Niekiedy przeprowadza się specjalne zabiegi chirurgiczne w celu korekty małżowin nosowych. Zabiegi te przynoszą na pewien czas ulgę, ale rzadko trwałe uzdrowienie. Również operacyjna korekta skrzywionej przegrody nosowej nie stanowi ostatecznego rozwiązania. Zgodnie z wypowiedziami laryngologów u ponad 90 procent osób występuje mniejsze lub większe skrzywienie przegrody nosowej. Jeśli byłaby to główna przyczyna dolegliwości, przewlekłe infekcje zatok nosowych występowałyby znacznie częściej.

Warto wiedzieć

Prawidłowa diagnoza

Choć na pierwszy rzut oka wygląda to prosto, diagnoza nie jest taka łatwa. Badania rentgenowskie zatok nosowych często są niejednoznaczne ze względu na nakładanie się struktur kostnych. Z tego powodu przeprowadza się także komputerową tomografię zatok nosowych. Jednak i ta metoda diagnostyczna nie obejmuje wszystkich możliwych zaburzeń. Warto podeprzeć się wywiadem lekarskim. Prosta wskazówka: ciągłe ściekanie śluzu w gardle. Nawet bez infekcji wskazuje to na przewlekłe podrażnienie zatok nosowych.

Bóle głowy, także bez gorączki lub wyraźnych zmian w wynikach badań krwi, często świadczą o nieprawidłowościach związanych z zatokami nosowymi. W zależności od lokalizacji bólu można wnioskować, które zatoki są dotknięte. Zapalenia zatoki szczękowej przejawiają się bólem na obszarze policzków. Jeśli dotknięte są zatoki czołowe, występuje nacisk nad oczami lub na środku czoła. Kość sitowa objawia się bólem nasady nosa lub między oczami. Jeśli ból występuje z tyłu głowy, można zakładać zapalenie położonej głęboko zatoki klinowej. Jeżeli jednocześnie dotkniętych jest kilka zatok nosowych, mówimy o ogólnym zapaleniu zatok.

Uwaga na zimne stopy!

Ważną przyczyną jest osłabienie układu odpornościowego, na przykład spowodowane błędnym odżywianiem. Wielu pacjentów cierpi na chronicznie zimne stopy, które podobnie jak wspomniane wyżej klimatyzatory, mogą osłabiać energię. Niektórzy oceniają te dolegliwości z psychosomatycznego punktu widzenia. Pacjenci z przewlekłym zapaleniem zatok nosowych mają czegoś „powyżej dziurek w nosie”. Pewien satyryk twierdził, że przewlekłe zapalenie zatok dotyka przede wszystkim nauczycieli. Nie potrafię stwierdzić, czy to prawda.

Środki terapeutyczne

Środki terapeutyczne powinny wzmacniać obszar zatok nosowych, odciążać i regenerować, a także systematycznie wzmacniać ogólny układ odpornościowy.

Pacjenci cierpiący na zatoki mają zwykle wysuszoną błonę śluzową. Aby ją pobudzić, można wdychać lub wciągać do nosa sole emskie. W tym celu szczyptę soli emskiej mieszamy z kubkiem letniej wody. Następnie z pustej dłoni wciągamy ją do nosa i wyprychujemy. Nie gwarantuje to trwałego oczyszczenia, roztwór soli trwale zwiększa ukrwienie błony śluzowej. Dzięki temu może się ona lepiej regenerować.

Przy pomocy homeopatycznego preparatu można dodatkowo pobudzić wydzielanie śluzu w nosie. Aby zregenerować przewlekle wysuszoną błonę śluzową – często w wyniku długiego stosowania kropli do nosa – można stosować kremy zawierające olejki eteryczne, które działają oczyszczająco. Uwaga: przy nadwrażliwości na olejki eteryczne należy unikać tych preparatów.

Metody fizyczne

Metody fizyczne służą odciążeniu całego organizmu i wzmocnieniu przepływu energii. Zimnym stopom należy konsekwentnie zapobiegać poprzez moczenie stóp metodą Heuffego.

W tym celu nalewamy do miski wodę o temperaturze ciała i wkładamy do niej stopy. Następnie dolewamy gorącej wody. Poziom wody i temperatura podnoszą się. W ten sposób następuje trwałe pobudzenie ukrwienia nie tylko na obszarze nóg, ale także przez refleksyjne połączenia stóp z narządami wewnętrznymi także w pozostałych częściach organizmu. Moczenie stóp metodą Hauffego ma przede wszystkim tę zaletę, że nie obciąża krwiobiegu. Czas trwania zabiegu: 15–20 minut. Najlepiej przeprowadzać go co wieczór przez dwa tygodnie.

Wymagającą więcej starań, ale bardzo korzystną alternatywą jest moczenie stóp metodą Schielego. Temperatura wody reguluje się termostatem.

Należy zawsze zakładać, że zimne stopy oznaczają zmniejszoną zdolność do reakcji energetycznych. Skutkiem może być przede wszystkim podatność na infekcje na obszarze podbrzusza i gardła (przewlekłe zapalenie migdałków).

Pomocna jest także kuracja klimatyczna – w wysokich górach w środowisku wolnym od alergenów lub nad morzem, gdzie zawarte w powietrzu areozole nawilżają błonę śluzową.

Poprzez stawianie baniek na łopatkach i na karku można odciążyć układ limfatyczny i pobudzić ukrwienie zatok nosowych.

Informacja

Chronicznie zimne stopy wiążą się z osłabieniem pamięci. Prof. Alfred Brauchle, nestor niemieckiej medycyny naturalnej, powoływał się tu na badania przeprowadzane w latach dwudziestych w berlińskiej klinice „Charité".

Nie zapominaj o jelitach

Między zatokami nosowymi, oskrzelami i błoną śluzową jelit istnieją ścisłe zależności. Wymienione obszary błony śluzowej przenikają się, a pod względem embriologicznym, czyli pod względem historii rozwoju powstały z takiej samej struktury. W niektórych przypadkach chronicznego zapalenia zatok nosowych pozytywne efekty może przynieść także oczyszczenie jelit, patrz wyżej.

Przy przewlekłych zapaleniach należy przeprowadzić badania stolca i sprawdzić występowanie drożdżaków gatunku *candida albicans*. Jeśli są one obecne, trzeba zastosować odpowiednią terapię.

Zwróć uwagę na dietę

U pacjentów cierpiących na zapalenie zatok, niezależnie od występowania drożdżaków w jelitach, należy zastosować dietę możliwie ubogą w cukier. Cukier powoduje niedobór witaminy B1, a właśnie osoby z zapaleniem zatok często wykazują jej zbyt niski poziom. Dlatego w miarę potrzeby można przyjmować preparaty zawierające witaminę B1.

Dodatkowe metody

- Przy chronicznej podatności na infekcje często występuje niedobór cynku. Może tu pomóc podawanie cynku w formie preparatów. Środki te można stosować najwyżej dwa miesiące. Następnie należy przerwać kurację na kilka tygodni i po tym czasie ponownie zacząć podawać cynk.
- Leczenie enzymami pomaga przy każdej formie zapalenia. Można zażywać enzymy pochodzenia roślinnego, a częściowo również zwierzęcego. Czas trwania kuracji wynosi kilka tygodni. Następnie należy zrobić przerwę.

Informacja

Należy uważać, by nie przyjmować zbyt dużych dawek cynku!

– Jako domowy środek można stosować płukanie olejem według Karracha. Rano po wstaniu i wieczorem przed pójściem spać bierzemy łyżkę tłoczonego na zimno oleju słonecznikowego (ze względu na neutralny smak) i płuczemy nim usta i gardło. Olej usuwa trucizny z jamy ustnej, gardła i zębów, w przeciwnym razie substancje te dodatkowo obciążają układ limfatyczny. Płuczemy około pięć minut, następnie wypluwamy olej. Pozytywne efekty zaobserwowano zarówno przy przewlekłym zapaleniu zatok nosowych, jak i przy zapaleniu gardła, zapaleniu migdałków i zapaleniach dziąseł lub paradontozie.
– W ramach fizjoterapii pomaga ręczny drenaż limfatyczny na obszarze głowy i szyi. Zabieg przeprowadza specjalnie przeszkolony terapeuta. Stosuje on masaż, który jest nie tylko bardzo przyjemny, ale także relaksujący. Problem polega na tym, że metoda drenażu limfatycznego stosowana właśnie przy chronicznych zapaleniach zatok nosowych jest wśród lekarzy mało znana.

Wskazówka

Trudno oczekiwać, by lekarz przepisał ci drenaż limfatyczny. Jednak jeśli chcesz pozwolić sobie na odrobinę przyjemności, podaruj sobie kilka zabiegów drenażu limfatycznego!

Tyję od samego patrzenia na jedzenie – jak pozbyć się uciążliwej nadwagi

Z góry zastrzegam – nie wystarczy samo liczenie kalorii. Naukowcy wciąż powtarzają, że potrzeba dokładnie określonej ilości kalorii, by utrzymać odpowiednią wagę ciała. Jeśli ilość ta spada, organizm musi automatycznie chudnąć. Jeśli ilość kalorii wzrasta, nieuchronnie dochodzi do wzrostu wagi. Jednak wiele osób wie, że w rzeczywistości nie jest to prawda – pomimo umiarkowanej, wręcz zredukowanej ilości pożywienia nie chudną, a przeciwnie, nawet przybierają na wadze. Sprawny metabolizmu to nie obiegowy mit, ale bardzo trafne spostrzeżenie.

Typ budowy ciała

Przemiana materii zależy od typu budowy ciała. U osób z dużą nadwagą często występuje typ pykniczny, ale jednocześnie są one dość blade.

Zmagazynowana tkanka tłuszczowa ma związek z zatorami limfy. Tradycyjna medycyna chińska określa ten typ jako „pełne yin". U takich osób na ogół nie sprawdzają się zwykłe zabiegi oczyszczające. Pacjenci mają za sobą liczne diety, wszystkie o mniej lub bardziej rozczarowujących efektach. Nawet post nie przynosi przełomu, wręcz przeciwnie. W czasie postu waga spada tylko o kilkaset gram, najczęściej na skutek wydzielania płynów. Po zakończeniu kuracji pacjent szybko osiąga wagę większą niż wyjściowa. Nie bez powodu mówi się o efekcie jo-jo jako negatywnym skutku postu.

Właściwe odżywianie to nie wszystko

Eksperci od żywienia zakładają, że tylko długoterminowa zmiana sposobu odżywiania przynosi prawdziwe korzyści. Ogólnie zaleca się znaczne ograniczenie ilości tłuszczów i słodyczy. Krótkołańcuchowe węglowodany w formie słodyczy przekształcane są w trójglicerydy, które następnie zostają zmagazynowane w organizmie jako wałki tłuszczu.

Dieta z ograniczoną ilością tłuszczów i cukrów przypomina dietę pełnowartościową. Mimo to nawet taka zmiana odżywiania nie prowadzi do dużego spadku wagi. Oczywiście wiążą się z tym kolejne rozczarowania. Dieta oparta na surowiźnie i dni odpoczynku także nie przynoszą przełomowych efektów. Co zatem można zrobić, gdy wskaźnik wagi ani drgnie?

Ostrożnie ustawiaj gaźnik

W dawnej medycynie hipokratejskiej próbowano wpłynąć na wagę ciała poprzez regulację czynności tarczycy. Niektóre otyłe osoby faktycznie wykazują skłonność do nadczynności tarczycy. Aby to stwierdzić, można zmierzyć poziom hormonu TSH we krwi. Zwykle wynosi on pomiędzy 0,23 i 4 mcU/mg. Wartości poniżej 0,23 wskazują na nadczynność, powyżej 4,0 na niedoczynność gruczołu. Amerykańscy autorzy twierdzą jednak, że już przy wartościach powyżej 2 występuje tendencja do nadczynności. Ja posunąłbym się jeszcze dalej. Przy poważnej nadwadze oraz skłonności do zmęczenia i wyczerpania niezależnie od wartości TSH należy dostarczać do organizmu pierwiastek śladowy jod, najpierw raz dziennie w formie preparatu Jodid 100, później ewentualnie Jodid 200. Oczywiście należy wykluczyć schorzenia tarczycy takie jak toksyczne wole lub choroba Hashimoto, dlatego należy wcześniej skonsultować się z lekarzem.

Jod to rodzaj paliwa dla tarczycy. Jej działanie zostaje stopniowo przyspieszone i łagodnie pobudzone. W niektórych przypadkach może to nawet spowodować utratę wagi.

Nieznane nietolerancje pokarmowe

Nietolerancje pokarmowe mogą przyczyniać się do nadwagi. Typowe testy alergiczne okazują się pod tym względem bezwartościowe, istnieje jednak specjalny alternatywny test alergiczny, który sprawdza aktywność limfocytów (ważnej formy białych ciałek krwi) wobec 181 różnych pokarmów. Badanie wykonuje się w specjalnym laboratorium. Na podstawie wyników można odpowiednio zmodyfikować dietę.

Terapia wspomagająca układ limfatyczny

Przy znacznej nadwadze warto przeprowadzić terapię wspomagającą układ limfatyczny. Niemal zawsze pacjenci cierpią na zastoje limfy, które odpowiadają za wiele kilogramów nadwagi. Może tu pomóc stosowanie przez wiele miesięcy kompleksowego preparatu homeopatycznego.

Oczywiście ruch!

Zajęcia sportowe jako dodatkowy sposób spalania kalorii są zawsze korzystne. Pacjenci z nadwagą powinni jednak zachować ostrożność. Osoby z dużą nadwagą, które do tej pory nie uprawiały sportu, mają często zbyt słabe mięśnie i wiązadła, więc często dochodzi u nich do zwichnięć stawów lub naderwania wiązadeł. Dlatego trening fizyczny musi być dostosowany do indywidualnych potrzeb i stopniowo wzmacniany. Do urazów nie dochodzi raczej przy intensywnych spacerach, tak zwanym nordic walking lub codziennym treningu na ergometrze. Kolejną alternatywą jest pływanie. Ćwiczenia trzeba koniecznie wykonywać codziennie. Najlepiej 10–15 minut treningu na ergometrze lub 20–30 minut chodzenia.

Na zakończenie

Niektórzy fachowcy twierdzą, że przy odżywianiu decydujące nie są kalorie ani ilość tłuszczu, lecz jedynie ograniczenie wszelkiego rodzaju węglowodanów. Dlatego eksperci polecają dietę Atkinsa. Chodzi o niedawno zmarłego amerykańskiego lekarza, który w celu redukcji wagi zalecał dietę zawierającą białka i tłuszcze przy wyraźnym ograniczeniu wszelkich węglowodanów. Owszem, możliwe, że taka dieta pomaga w **redukcji wagi**, jednak znaczne ilości białek i tłuszczów pogarszają ogólny bilans przemiany materii, a przede wszystkim sprzyjają artretyzmowi i cukrzycy. Jeśli w ogóle chcemy stosować dietę Atkinsa, powinniśmy traktować ją tylko jako wstęp, aby osoby z silną nadwagą mogły odnieść pierwszy sukces.

Uwolnij się!

Niezależnie od tego, o czym zawsze myślisz, nadwaga zawsze ma pewien związek z niezdolnością do uwolnienia się. Zachodzi tu automatyczna zależność psychosomatyczna. Silna nadwaga postrzegana jest jako rodzaj grubej skóry, którą pacjent broni się przed obciążeniami psychicznymi. Dopiero gdy te obciążenia zostaną odkryte i odrzucone, można stopniowo utracić ową grubą skórę.

Bierz przykład z baletu grubasek

W Monachium pod koniec lat osiemdziesiątych i na początku dziewięćdziesiątych zdarzyła się następująca historia. Cztery otyłe damy, które przez lata stosowały różne diety i inne metody odchudzania, postanowiły wreszcie zaakceptować swoją wagę. Założyły „balet grubasek". Występowały w licznych restauracjach i kabaretach i odnosiły niezwykłe sukcesy. Dziś balet już nie istnieje, ponieważ w stosunkowo krótkim czasie jego założycielki wyraźnie straciły na wadze. Stąd wniosek: odchudzanie może naprawdę udać się tylko wtedy, gdy nie robimy nic na siłę!

Zatwardzenie – uciążliwy problem

Pewien bestseller z zakresu medycyny naturalnej nosi tytuł: „W trzy dni uwolnij się od przewlekłego zatwardzenia". Gdyby tylko było to możliwe, chcielibyśmy powiedzieć. We wspomnianej książce polecane są świeże mieszanki zbożowe, czyli pełnowartościowa dieta z wysoką zawartością nieprzetworzonych zbóż. Taka dieta powoduje zwiększenie ilości substancji balastowych, dzięki czemu pobudzona zostaje czynność mięśni przewodu żołądkowo-jelitowego. Mimo to rzeczywistość pokazuje, że przy wieloletnim zatwardzeniu również taka zmiana odżywiania nie pomaga. Jaka jest przyczyna?

Amerykańskie badania Nurses-Health-Studie wydają się światełkiem w tunelu. W ramach badań, w których brały udział tysiące pielęgniarek, przeanalizowano wpływ diety bogatej w substancje balastowe na oddawanie stolca. Wyniki były zaskakujące. Osoby z zatwardzeniem z nieznanych dotąd powodów miały znacznie lżejszy stolec niż osoby niecierpiące na zatwardzenia, i to niezależnie od ilości substancji balastowych. Oznacza to, że samo zwiększenie ilości substancji balastowych nie wystarcza. Co może pomóc? Do ciekawych wniosków prowadzi porównanie składu stolca. Około 33 procent stanowią bakterie jelitowe. Jeśli zostają one zdziesiątkowane, ilość stolca maleje, a tym samym jego waga. Pomocne może być zatem dostarczanie bakterii jelitowych, co przynosi pozytywne efekty nawet przy przewlekłym zatwardzeniu. W tym celu najlepiej podawać bakterie koli. Kuracja ta działa wzmacniająco również przy przewlekłych zapaleniach jelita, a w wielu przypadkach sprawdza się przy schorzeniach alergicznych i chronicznej podatności na infekcje.

Zalecana pełnowartościowa dieta

Mimo to warto przestawić się na możliwie pełnowartościową dietę. Diety pełnowartościowej nie należy jednak mylić z dietą pełnoziarnistą. Wiele osób rozumie pod tym pojęciem jedzenie pokarmów z pełnymi lub grubo mielonymi ziarnami zbóż. Taka dieta tylko w rzadkich przypadkach jest łatwo przyswajalna. Najczęściej powoduje procesy rozkładu, poczucie przesytu i wzdęcia. Dieta pełnowartościowa oznacza dostarczanie produktów zbożowych w formie drobnej pełnoziarnistej mąki. Są one łatwiej przyswajalne, a jednocześnie wykazują dużą zawartość substancji balastowych.

Różnorodne przyczyny

Częsty błąd we współczesnej medycynie polega na tym, że myślimy jednotorowo. Na przykład zatwardzenie uznawane jest za problem czysto jelitowy. Zapomina się, że ważną rolę odgrywa już samo częściowe trawienie pokarmów w górnej części jamy brzusznej związane z wytwarzaniem soków trawiennych w żołądku, trzustce i woreczku żółciowym. Jeśli na tym etapie występują zaburzenia, na przykład zbyt słaba produkcja soków trawiennych, w górnym odcinku jelitowym trawienie jest niepełne, a także mięśnie odcinka żołądkowo-jelitowego nie pracują odpowiednio. Wiedeński lekarz Bernhard Aschner już przed kilkudziesięcioma laty opisał zjawisko ciągłego odbijania się pokarmów jeszcze wiele godzin po posiłku jako wyraz słabego działania enzymów. Takie odkrycia doświadczonych lekarzy są dziś w znacznym stopniu zapomniane i nie figurują w podręcznikach medycyny.

Zmuś do pracy woreczek żółciowy!

Czynność jelit zależy od wytwarzania kwasu żółciowego. Jeśli w wątrobie produkowane jest zbyt mało żółci, czynność mięśni jelitowych słabnie. Zwykle co godzinę następuje przesunięcie stolca o około 25 cm. Co kilka minut przez jelito przechodzą fale rytmicznych skurczów mięśni. W ten sposób resztki pokarmowe zostają wielokrotnie ugniecione i wchodzą w kontakt z błoną śluzową jelit. Ta może wchłonąć ważne składniki odżywcze, których potrzebuje organizm, a niepotrzebne substancje przekazać do jelita grubego.

Woreczek żółciowy można pobudzać na różne sposoby:

– Herbata piołunowa pobudza przepływ żółci i soków trawiennych, a dodatkowo zmniejsza apetyt na słodycze. Dostępna jest w sklepie ze zdrową żywnością. Do smaku trzeba przywyknąć. Piołun to jedna z najbardziej gorzkich roślin. Stopniowo można się jednak przyzwyczaić i pić herbatę niczym aperitif, filiżankę przed śniadaniem lub każdym posiłkiem.

- Karczochy chronią wątrobę i pobudzają produkcję żółci. Stosowanie preparatów z karczochów jest zatem korzystne szczególnie u pacjentów cierpiących na zatwardzenia. Ważne jest odpowiednio wysokie dawkowanie. Godne polecenia są preparaty w kapsułkach, takie jak Hepar SL® forte. Warto także pić świeże soki wyciskane z owoców. 1–2 łyżki mieszamy ze szklanką wody i wypijamy przed posiłkiem.
- Bardzo ważne: gimnastyka oddechowa i uprawianie sportu. Poprzez intensywne oddychanie nie tylko przywracamy równowagę wegetatywną, ale także pobudzamy czynność przepony. Oprócz spełniania funkcji oddechowej przepona delikatnie masuje wnętrze jamy brzusznej. W ten sposób pobudza ukrwienie i wspomaga procesy trawienia. Przy płaskim lub słabym oddechu podczas pracy za biurkiem ten efekt nie występuje.

To nie przypadek, że tradycyjna medycyna chińska w optymalnej technice oddechowej widzi główne źródło qi, czyli energii życiowej. Poza tym trening oddechowy pomaga przywrócić równowagę wegetatywną.

Proste ćwiczenia oddechowe zwiększają równowagę wegetatywną

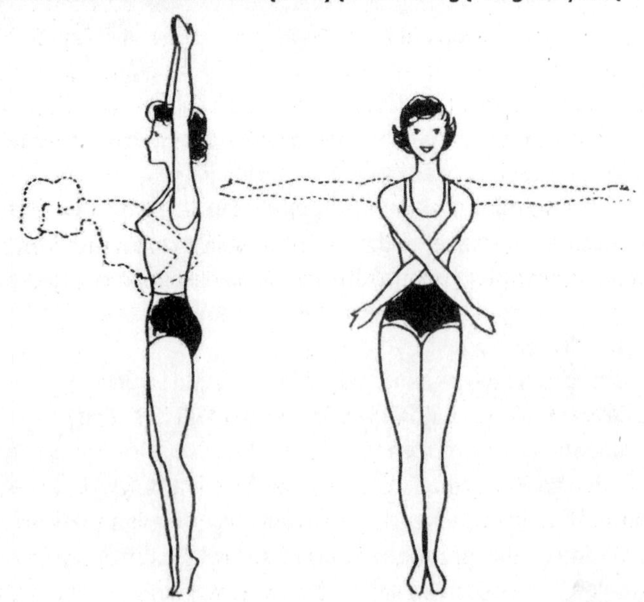

Istnieje wiele domowych sposobów na zatwardzenie, na przykład zjedzenie 5–10 suszonych śliwek, wypicie dwóch szklanek ciepłej wody przed śniadaniem albo spożycie dużej ilości wiśni. Naprawdę pewny nie jest żaden z nich. Jeśli chodzi o napoje, należy pamiętać, że woda uboga w składniki mineralne jest co prawda dobra do płukania nerek, ale może też nasilić zatwardzenie. Dlatego lepiej stosować wodę siarczanową (na butelkach występuje skrót „SO4"). Siarczany to składnik gorzkiej soli i soli glauberskiej. Sprawiają, że płyn dłużej zostaje w jelitach. Dodatkowo łagodnie pobudzają woreczek żółciowy.

W niektórych przypadkach pomaga także pobudzenie stref refleksyjnych jelit przez akupunkturę, masaż stref refleksyjnych stóp, masaż tkanki łącznej lub stawianie baniek. Bańki można w tym wypadku stawiać na brzuchu lub na dolnych partiach pleców. Jednak przy wieloletnim przewlekłym zatwardzeniu ta metoda często okazuje się niewystarczająca.

Nic na siłę!

Trzeba uświadomić sobie, że przewlekłe zatwardzenie, tak samo jak uparta nadwaga, ma pewien związek ze zdolnością do „uwolnienia się". Dlatego główne zalecenie brzmi: uwolnij się! Uwolnij się w najprawdziwszym sensie tego słowa! Podobnie jak nadwaga, zatwardzenie może zniknąć dopiero wtedy, gdy przestaniesz starać się wymusić stolec. Zastosowanie jednej z przedstawionych powyżej metod, a potem ciągłe zerkanie na zegarek i czekanie na wypróżnienie, to postawa od początku skazująca na porażkę. Tylko cierpliwością i rozluźnieniem zamiast napięcia i przesadnego pobudzenia można rozwiązać ten dotkliwy problem.

Nadczynność tarczycy – a może nie?

Wyobraźmy sobie następującą sytuację. Trzydziestoletnia szczupła kobieta od dawna skarży się na „wewnętrzny niepokój" i „nadpobudliwość". W dodatku marzną jej dłonie i stopy. Apetyt ma dobry. Często odczuwa chęć na coś słodkiego. W licznych sytuacjach występuje u niej przyspieszone tętno i zaczerwienienie na obszarze szyi. Odczuwane wtedy przez pacjentkę zawstydzenie tylko pogarsza problem.

Kobieta przeczytała w pewnym poradniku medycznym artykuł o tarczycy. Stwierdziła, że jej dolegliwości odpowiadają objawom nadczynności tarczycy. Udała się do lekarza. Ten zbadał krew i dodatkowo zlecił USG tarczycy. Wynik: wszystko w normie, brak zaburzeń czynności gruczołu. Rozczarowana pacjentka wróciła do domu z receptą na uspokajający środek.

Jak jest naprawdę? Pacjentka cierpi na „dystonię wegetatywną", która pokrywa się z opisanymi symptomami nadwrażliwości i nadmiernej nerwowości. Co prawda wielu lekarzy krytykuje pojęcie „dystonii wegetatywnej" jako wielce niejasne, ale sami nie mają nic lepszego do zaoferowania.

Dystonia wegetatywna

Dolegliwości nie są groźne, ale znacznie pogarszają jakość życia.

Nawet jeśli w klinicznym sensie nie występuje nadczynność tarczycy, jest to typowy „narząd podatny na stres". Aby chronić tarczycę przed stresem nie stosujemy oczywiście blokerów tarczycy, lecz odpowiednie środki roślinne. Karbieniec uspokaja pobudzoną tarczycę i łagodzi objawy dystonii wegetatywnej.

Ważne

Wole to przeciwwskazanie do przyjmowania preparatów z karbieńcem!

Terapia neuralna

Terapia neuralna według Hunekego to alternatywna metoda przynosząca natychmiastową ulgę. Miejscowe środki znieczulające zostają wtłoczone w skórę na obszarze tarczycy. Oczekiwać można dwóch typów reakcji: pacjent wcale nie reaguje albo odczuwa utrzymującą się godzinami „lekkość" i uspokojenie. W drugim przypadku zabieg należy wielokrotnie powtórzyć, najpierw w odstępie kilku dni, a potem co kilka tygodni.

Środek można także wstrzykiwać bezpośrednio w tarczycę. Z oczywistych względów metoda ta nie jest całkiem pozbawiona ryzyka.

Zrezygnuj ze słodyczy

Jeśli chodzi o odżywianie, najważniejsze jest konsekwentne unikanie słodyczy! Ich spożycie prowadzi do zmiany poziomu cukru we krwi. W rezultacie dochodzi do nasilonego wydzielania insuliny i spontanicznego niedocukrzenia. Co prawda nie jest ono tak groźne jak u diabetyków, ale wywołuje nieprzyjemne uczucie. Celem jest zatem utrzymanie stałego poziomu cukru. Należy regularnie spożywać przekąski między głównymi posiłkami, na przykład o 10.30, 16.30 i 22.30. Nadają się do tego migdały, chrupkie pieczywo z odrobiną masła, banany, mieszanki studenckie.

Spontaniczne niedocukrzenie jako typowy objaw dystonii wegetatywnej opisywane jest także w standardowych dziełach z zakresu medycyny wewnętrznej, ale najwyraźniej odpowiednie fragmenty są często pomijane przy czytaniu.

Naturalne zabiegi uodparniające

Leczenie mogą wspomóc:
- kąpiele powietrzne,
- chodzenie po rosie,
- kuracja Kneippa,
- lekki sport wytrzymałościowy.

We wszystkim należy jednak zachować umiar! Osoba cierpiąca na dystonię wegetatywną nie może się przeciążać.

Niejasne podwyższenie wskaźników wątrobowych

„Ty pijusie", ruga lekarz pacjenta z powodu stale podwyższonych wskaźników wątrobowych Gamma-GT. Oburzony pacjent całkowicie rezygnuje z alkoholu – i szuka innego lekarza...

Podwyższone wskaźniki wątrobowe często są błędnie interpretowane.

W tym miejscu będzie mowa o podwyższonych wskaźnikach nie tyle wskutek spożycia alkoholu lub wirusowego zapalenia wątroby (hepatitis), lecz o przypadkach, które budzą liczne wątpliwości.

Pomyśl także o jelitach

Przyczyną podwyższenia wskaźników wątrobowych mogą być zaburzenia środowiska jelitowego. Przewlekłe zaburzenia trawienia, którym towarzyszy nieregularny stolec oraz procesy rozkładu lub gnicia, prowadzą do powstawania trujących substancji. Są to alkohole i tak zwane aminy biogenne, na przykład indol i skatol. Substancje te zmniejszają odporność organizmu i uszkadzają komórki wątroby. Dzieje się tak przede wszystkim dlatego, że większa część krwi z jelit trafia przez żyłę wrotną bezpośrednio do wątroby w celu „odtrucia". Jeśli krew w żyłach wrotnych zawiera zbyt dużo końcowych produktów przemiany materii, wątroba zostaje przeciążona. Świadczy o tym podwyższenie wskaźników wątrobowych.

Zmianie ulegają nie tylko wyniki badań laboratoryjnych, ale także nastrój pacjenta. Zaburzenia czynności wątroby prowadzą do nasilonego magazynowania końcowych produktów przemiany materii w całym organizmie, również w mózgu.

Skutkiem są zły nastrój, brak energii i depresje. Podsumowując: skuteczne odtruwanie organizmu zapewnia dobry nastrój! Przy zaburzeniach wątroby warto więc pomyśleć o oczyszczaniu jelit.

Z PRAKTYKI LEKARSKIEJ

Podwyższone wskaźniki wątrobowe bez wyraźnych przyczyn

Czterdziestoletnia pacjentka od wielu lat ma podwyższone wskaźniki wątrobowe. Oprócz wskaźników gamma-GT dotyczy to również tak zwanych transaminaz GPT i GOT. Przyczyną nie może być przebyte dawniej przewlekłe zapalenie wątroby. Nie ma też przesłanek co do otłuszczenia wątroby. Zupełnie nie wiadomo, skąd biorą się podwyższone wyniki, zwłaszcza że kobieta nie pije alkoholu.

W tym przypadku można zastosować dwie strategie. Ponieważ opisany stan utrzymuje się od lat i wykluczono poważne schorzenie, nie trzeba na siłę szukać właściwej przyczyny. Wystarczy podejście pragmatyczne, na przykład zastosowanie preparatów z ostropestu plamistego. Pacjentka przyjmuje je dwa razy dziennie po jednej kapsułce przez osiem tygodni. Wyniki badań ulegają trwałej poprawie, nadal nieco odbiegają od normy. Po odstawieniu preparatu z ostropestu plamistego wskaźniki wątrobowe ponownie rosną. O czym to świadczy? Najwyraźniej pobudzenie syntezy i odtruwania w wątrobie prowadzi do poprawy wyników. Z jakiegoś powodu narząd ten potrzebuje wsparcia.

Przeprowadzone zostaje uzupełniające badanie laboratoryjne w celu określenia poziomu enzymu GLDH. Jest on podwyższony. To sygnał, że w wątrobie dochodzi do zastojów żółci. Na tej podstawie opracowana zostaje nowa terapia oparta o hymecromon. Substancja ta rozszerza naczynia żółciowe. Już po trzech tygodniach wyniki badań powracają do normy. Co dowodzi, że także dziś można stawiać diagnozy bez obrazowanie rezonansu magnetycznego i tomografii komputerowej, najważniejsze jest logiczne myślenie.

Z PRAKTYKI LEKARSKIEJ

Na zakończenie pouczający przypadek choroby obwodowych naczyń wieńcowych

Wernerowi K. przed kilkoma laty założono tak zwany stent w tętnicy udowej. Stent to metalowa część służąca utrzymaniu otwartego naczynia krwionośnego, które samo się zamyka. Jesienią 2001 roku przeprowadzono kontrolę w szpitalu. Stwierdzono znaczne zamknięcie naczynia i zalecono szybkie założenie pomostów naczyniowych na obszarze górnego uda. Pacjent mógł przejść zaledwie kilkaset metrów, potem pojawiał się ból. To typowy przykład tak zwanej choroby obwodowych naczyń wieńcowych, formy niedrożności tętnicy.

Pacjent słusznie spytał, czy istnieje alternatywna metoda do operacji. Rzeczywiście. Najważniejsze to regularny i konsekwentny trening ruchowy. Celem jest nie tylko przejście kilku kroków, ale zbliżenie się do granicy odległości, przy której pojawia się ból. Nie należy jej gwałtownie przekraczać, lecz trenować codziennie aż do jej osiągnięcia. Werner K. trenował regularnie przez wiele godzin rano i po południu.

Po stronie zdrowej nogi przeprowadzano moczenie stóp w rosnącej temperaturze. W ten sposób trwale pobudzono krążenie w obu nogach.

Jeśli chodzi o czynniki ryzyka, występował jedynie nieco niekorzystny poziom cholesterolu. Z tego względu przepisano leki obniżające poziom tłuszczu we krwi.

Ze względu na podwyższony hematokryt w odstępie 14 dni przeprowadzono dwa zabiegi puszczania krwi po 250 ml, po czterech tygodniach kolejny zabieg i jeszcze jeden po trzech miesiącach.

Aby pobudzić peryferyjne ukrwienie zalecono pacjentowi przyjmowanie raz dziennie niskiej dawki aspiryny w formie ASS 100 ratio.

Dla poprawy drożności tkanek zastosowano preparat enzymatyczny z ananasa pod nazwą Bromelain POS®. Pacjent przyjmował go trzy razy dziennie. Kurację uzupełaniał preparat z japońskiego miłorząbu. Ginkgo biloba nie tylko pobudza ukrwienie, ale także hamuje krzepnięcie krwi i zagęszcza naczynia krwionośne. Efekt występuje zarówno w centralnym układzie nerwowym, jak i w naczyniach peryferyjnych. Werner K. zaczął regularnie przyjmować preparat Ginkgo biloba. W wyniku terapii już po czterech tygodniach odcinek, który początkowo wynosił zaledwie kilkaset metrów, wydłużył się do praktycznie nieograniczonej długości. Codzienne intensywne spacery trwające trzy, cztery godziny ograniczono zatem do jednej lub dwóch godzin. Leki przyjmowane były przez dobre dwa miesiące.

Ponieważ nie tylko wydłużył się odcinek możliwy do przejścia, ale także poprawiło się ogólne samopoczucie pacjenta, codzienny trening ograniczono ostatecznie do jednej godziny, a chory mógł powrócić do swej zwykłej działalności.

Kontrolne badanie w szpitalu potwierdziło, że stent nadal jest zamknięty, zresztą niczego innego nie oczekiwano. Intensywna terapia doprowadziła jednak do powstania naturalnych pomostów naczyniowych. Widać zatem, że organizm ma wysoki potencjał regeneracyjny, trzeba go tylko odpowiednio pobudzić.

4

Jak przygotować się do wizyty i rozmawiać z lekarzem

Któż by nie chciał, żeby lekarz poświęcał dużo czasu pacjentom. Jednak w obecnym systemie państwowej opieki zdrowotnej nie jest to możliwe. Nie chodzi wyłącznie o to, że opieka medyczna jest bezpłatna. W poczekalniach siedzą osoby, które z czysto lekarskiego punktu widzenia nie muszą koniecznie skorzystać z porady, jednak przychodzą, by – zgodnie ze słowami Paula Lütha – „zrealizować wymagania wobec państwa socjalnego". W ten sposób marnowany jest cenny czas pacjentów cierpiących na poważne dolegliwości.
Ważne zatem, by w krótkim czasie przekazać lekarzowi możliwie konkretne informacje.

Ucz się od dziennikarzy!

Co, gdzie, kiedy, kto, dlaczego – te pięć pytań wyznacza strategię dziennikarską. Przekazać wszystkie najważniejsze informacje już w pierwszym zdaniu. Oczywiście rozmowa z lekarzem musi mieć nieco inną formę, należy jednak pamiętać o następujących sprawach:

- zaczynaj zawsze od aktualnych, palących dolegliwości i najważniejszych kwestii,
- opowiedz dokładnie, gdzie odczuwasz dolegliwości, od kiedy i jakiego rodzaju są to objawy.

Powiedz zatem na przykład: „Od około sześciu tygodni co kilka dni czuję ucisk w prawej części jamy brzusznej". Jeżeli zaobserwowałeś jakieś prawidłowości, opisz, w jakich sytuacjach występuje ucisk (czy na przykład po spożyciu określonych pokarmów, a jeśli tak, to jakich – kapusta, warzywa strączkowe?).

Prosty przykład

Przyjrzyjmy się wersji poprawnej i niepoprawnej. Gdy opowiadasz o wcześniejszych schorzeniach, przedstaw diagnozy krótko i zwięźle. Na przykład: „Już w 1968 roku doktor ... z ... stwierdził u mnie zwyrodnienie stawu kolanowego". Jeszcze krócej można to sformułować następująco: „W 1968 roku stwierdzono u mnie zwyrodnienie stawu kolanowego".

Nie popełniaj błędu, który często przydarza się wielu, zresztą bardzo sympatycznym pacjentom, ale niezwykle denerwuje lekarza. Mówią oni rozwlekle i przytaczają wiele anegdot, na przykład: „I wtedy trafiłem do doktora ..., może pan go zna. A ten powiedział, że nie wyglądam źle i żebym usiadł. Przyszła pielęgniarka i spytała, czy podać coś do picia. Potem doktor powiedział, żebym się rozebrał, zrobimy badanie rentgenowskie...".

To brzmi bardzo miło, ale nie ma dla lekarza żadnej wartości informacyjnej. Wręcz przeciwnie, wśród wszystkich szczegółów giną czasami ważne informacje.

Taki konkretny wstęp bardzo pomaga lekarzowi, który zada ci dalsze pytania: Czy dolegliwości zawsze występują o określonej porze? Jaki jest stolec – rzadki, gęsty czy zmienny?

Szybko pomyśli o zaburzeniach w pracy wątroby i woreczka żółciowego i przeprowadzi odpowiednią diagnostykę (dotykową, badanie krwi, ewentualnie USG). Jeśli powiesz tylko: „Od dawna mam problemy z brzuchem", obie informacje dotyczące czasu i miejsca będą niekonkretne i zmuszą lekarza do zadania wielu dodatkowych pytań.

Najpierw najważniejsze

Pisemne zestawienie najważniejszych informacji dotyczących na przykład rodzaju dolegliwości, przeprowadzonych operacji lub pobytów w szpitalu może być bardzo pomocne. Jednak i tu należy być zwięzłym i wypisać tylko najważniejsze rzeczy.

Kolejna ważna wskazówka: jeśli cierpisz na kilka dolegliwości i dokucza ci wiele objawów jednocześnie, stwórz hierarchię. Powiedz wyraźnie, które objawy obecnie odczuwasz najbardziej, a które wydają ci się poboczne. W ten sposób lekarz dokładnie wie, czym powinien zająć się najpierw w przypadku złożonych schorzeń.

Czasami zdarza się także sytuacja, której sam kilkakrotnie doświadczyłem: pacjenci szczegółowo opowiadają o najróżniejszych kwestiach, od złamań golenia, przez operacje podbrzusza, usunięcie przed kilkoma laty guza jelitowego, nadciśnienie, niekorzystny poziom cholesterolu po niejasne zawroty głowy. Można by przypuszczać, że pacjentowi chodzi o wyjaśnienie zawrotów głowy i być może dodatkowe leczenie po niedawnej operacji. Jednak po kilku dniach dostajemy informację, że nieporuszona została właściwa kwestia, „dla której w ogóle przyszedłem", a mianowicie grzybica prawej stopy i wypadanie włosów...

Zanotuj nazwę i dawkowanie leków

Zgodnie z doświadczeniem niewielu pacjentów zwraca uwagę na przyjmowane leki i większość nie pamięta ich nazw. Dlatego zanotuj nazwę leku lub po prostu przynieś opakowanie albo ulotkę, wtedy od początku nie będzie pomyłek i lekarz dowie się dokładnie, czym do tej pory cię leczono.

Nie jest dobrze, gdy pamiętasz tylko kolor tabletek. Trzeba wtedy skontaktować się z poprzednim lekarzem lub szpitalem, co opóźnia dalsze leczenie.

Pytaj – ale krótko i bezpośrednio

Jeśli masz do lekarza konkretne pytania, na przykład przeczytałeś w gazecie o nowym leku lub określonej metodzie diagnostycznej i chcesz wiedzieć, czy nadaje się także dla ciebie, zapisz je. Pacjenci, co zrozumiałe, często są bardzo podenerwowani w trakcie wizyty, więc zapominają o wielu rzeczach, o które chcieli spytać. Mów jednak zwięźle. Nie wypisuj zestawu pytań na trzy strony, lekarz nie ma tyle czasu. Jedynie w prywatnej przychodni można zaplanować odpowiednio długą wizytę. Zanotuj pytania w kolejności od najważniejszego, a z pozostałym zaczekaj do kolejnej wizyty.

Kiedy warto zasięgnąć drugiej opinii?

Żelazna zasada brzmi: im bardziej terapia uzależniona jest od diagnozy, tym większy sens ma zasięgnięcie drugiej opinii.

Przykład

U czterdziestokilkuletniej kobiety w ramach mammografii znaleziono podejrzane miejsce na piersi. Lekarz doradza operację, a przynajmniej pobranie próbki tkanki. Jeśli istnieją jakiekolwiek wątpliwości co do diagnozy, warto przedstawić wyniki badań innemu lekarzowi.

Nie ma to jednak sensu, jeśli na przykład odczuwasz ból przy oddawaniu moczu i zawiera on krew, a lekarz na podstawie badań stwierdza poważną infekcję dróg moczowych. Zasięgnięcie drugiej opinii nic nie da. Diagnoza jest jasna, a podjęta terapia, czyli zastosowanie antybiotyków, by zapobiec nasilaniu się infekcji, nie budzi wątpliwości.

W takim przypadku można jednak zapytać, czy istnieją dodatkowe metody przyspieszające leczenie, na przykład picie herbat, ciepłe kompresy przykładane na pęcherz i kość krzyżową lub stosowanie preparatów mikrobiologicznych dla ochrony naturalnej flory jelitowej podczas przyjmowania antybiotyków.

Niejasny wynik badań prostaty – typowy powód, by zasięgnąć drugiej opinii

W ostatnich dziesięcioleciach rak prostaty coraz częściej wykrywany jest we wczesnych stadiach. Dzieje się tak dzięki ulepszonej technice USG, ale przede wszystkim przez badanie obecności PSA, antygenu specyficznego dla prostaty. Obecnie jest to najpewniejszy ze wszystkich znaczników raka, jednak w wielu sytuacjach podejmowane na podstawie wyników badań zabiegi są kontrowersyjne.

Z PRAKTYKI LEKARSKIEJ

Leczenie u homeopaty

U siedemdziesięcioletniego mężczyzny zostaje stwierdzony podwyższony poziom PSA we krwi. Badanie dotykowe i USG wykazuje nieco niejednorodną prostatę. Urolog zaleca badanie próbki tkanki, by potwierdzić lub wykluczyć nowotwór. Co zrozumiałe, wielu pacjentów w takiej sytuacji odczuwa lęk. Nigdy nie dowiedziono, że punkcja nie powoduje przeniesienia komórek rakowych i nie prowadzi do późniejszych przerzutów. Ślepa biopsja prostaty wiąże się dodatkowo z ryzykiem, że właściwy guz – jeśli w ogóle obecny – zostanie ominięty. Jeśli wyniki badań nadal utrzymują się na wysokim poziomie, trzeba przeprowadzić tak zwaną biopsję seryjną, czyli podziurawić narząd niczym sito, by zbadać wszystkie zagrożone miejsca. Może się to wiązać z przeniesieniem komórek rakowych i, pomijając niebezpieczeństwo zapalenia, jest bardzo nieprzyjemne. W dodatku u mężczyzn powyżej 70. roku życia z reguły nie przeprowadza się operacyjnego usunięcia prostaty. Międzynarodowe statystyki wykazują, że w tym wieku nawet przy całkowitym usunięciu guza prostaty zwykle nie można oczekiwać dłuższej średniej życia niż przy rezygnacji z zabiegu i leczeniu wyłącznie hormonalnym. Można zatem spytać: po co w takim wypadku w ogóle potrzebna jest biopsja?

Jeśli przy kolejnych kontrolach PSA szybko wzrasta do wartości dwucyfrowej, nowotwór jest bardzo prawdopodobny. W zależności od sytuacji można wtedy pomyśleć o naświetlaniach lub kuracji hormonalnej, ewentualnie biopsji. Jednak u wielu pacjentów wartość PSA przez lata jest lekko zawyżona (między 4 a 10) bez widocznych objawów rozprzestrzeniającego się raka.

Na podstawie wielu doświadczeń mogę potwierdzić, że dokładna obserwacja, tak zwane „czujne czekanie", jest sposobem delikatniejszym i przede wszystkim korzystniejszym dla pacjenta niż szybkie, radykalne zabiegi.

Bądź samodzielny!

Co zdumiewające, choć sam nigdy tego nie rozumiałem, wielu lekarzy odpowiada niechętnie lub nieuprzejmie, gdy pacjenci pytają o dokładne uzasadnienie wybranych procedur diagnostycznych lub terapeutycznych. Zamiast cieszyć się, że pacjent chce aktywnie brać udział w leczeniu, a nie po prostu pozwala biernie na wszystkie zabiegi, wykazują reakcje typu „to pana nie powinno interesować" albo „ta laicka pseudowiedza".

Jeśli spotkasz się z taką reakcją, powinieneś szybko zmienić lekarza. „Dobry" lekarz będzie umiał uzasadnić, dlaczego w określonej sytuacji właściwa jest panendoskopia jelit a nie USG, dlaczego w przypadku nadciśnienia proponuje betablokery zamiast inhibitorów konwertazy angiotensyny lub dlaczego preparat roślinny nie wystarczy i konieczny jest antybiotyk.

Nie zapominaj jednak: medycyna nie jest dokładną nauką, nawet jeśli niektóre autorytety próbują twierdzą inaczej i sądzą, że wszystko można udowodnić statystyką. Jak powiedział lekarz i filozof Karl Jaspers, medycyna to raczej „konkretna filozofia".

Nie jest to obrona „medycyny uznaniowej", w której w pewnym sensie wszyscy mają rację. Nie, wyznaczone z góry kierunki czy standardy leczenia mają sens szczególnie przy dokładnie określonych chorobach lub nagłych wypadkach, ponieważ stanowią pomoc dla lekarza. Należy jednak brać pod uwagę możliwość dostosowania lub nagięcia zasad do indywidualnej sytuacji.

Nawet silne próby ujednolicenia medycyny nie mogą zapobiec odmienności opinii lekarskich na temat metod diagnostycznych i terapeutycznych. Jest to widoczne już przy diagnozie. Ogólnie obowiązuje zasada, że dopiero po postawieniu dokładnej diagnozy można zastosować skuteczną terapię. Bardzo naiwne podejście. Z reguły nie da się postawić całkowicie niepodważalnej diagnozy, a już na pewno nie przy pierwszej wizycie u lekarza. Na podstawie wywiadu lekarskiego i zaobserwowanych objawów stawia się prawdopodobną diagnozę, a następnie rozpoczyna się odpowiednie leczenie. Inaczej niemożliwe byłoby uprawianie medycyny. Nawet w nowoczesnych szpitalach pomimo możliwości technicznych często nie da się postawić dokładnej diagnozy, szczególnie wtedy, gdy schorzenie jest uwarunkowane „funkcjonalnie" lub „psychosomatycznie". Lekarze wykrywają wiele pobocznych zjawisk, od degeneracyjnych zmian kręgosłupa, na które cierpi sto procent pięćdziesięciolatków, przez kilka dodatkowych kresek w EKG po małe cysty na nerkach stwierdzone podczas USG. Paracelsus powiadał: „Współcześni lekarze szukają tam, gdzie nic nie ma, i znajdują to, czego nie ma".

W większości wypadków absolutnie dokładną diagnozę mogą postawić jedynie patolodzy albo lekarze sądowi.

Pacjenci mogą czuć się zaniepokojeni, bo przecież chcieliby jednej jasnej opinii. Powinni jednak dostrzec w tym szansę, by zacząć samemu zdobywać informacje o chorobie. Szukaj w księgarniach, w bibliotekach lub Internecie. Uczęszczaj na kursy i słuchaj medycznych wykładów, zapisz się do odpowiedniego stowarzyszenia lub grupy samopomocy.

Pozwoli ci to wydawać własne opinie i częściej zabierać głos w rozmowach na temat terapii.

W przyszłym systemie opieki zdrowotnej, w którym należy liczyć się z wieloma ograniczeniami, będzie obowiązywać zasada:

Sam stań się swego rodzaju „ekspertem".

Suplement

Zmodyfikowana dieta śródziemnomorska

Poniedziałek:

Śniadanie:

2 kromki pełnoziarnistego chleba z drobno mielonej mąki (dotyczy każdego pieczywa, taki chleb jest łatwiej strawny!), masło, konfitura z dużą zawartością owoców (ze sklepu ze zdrową żywnością), ziołowa herbata

Przekąska:

kilka rzodkiewek lub innych drobno krojonych warzyw (papryka, ogórek, rzodkiew, pomidory lub marchew)

Obiad:

sałata z 200 g ogórka z marynatą octowo-oliwną i dużą ilością kopru, 2-3 średnie ziemniaki w mundurkach, 150 g marchwi i 250 g rzepy podduszone w wywarze z warzyw, doprawione tłoczoną na zimno oliwą i ziołami

Przekąska:

150 ml maślanki

Kolacja:

ziemniaki, czerwona fasolka i kukurydza z ziołami, szczególnie cząbrem i majerankiem, doprawione pieprzem i solą; fasola namoczona przez noc i ugotowana bez soli, herbata ziołowa, woda mineralna

Wtorek:

Śniadanie:

50 g płatków owsianych, ok. 200 g jogurtu i $1/2$ zmiażdżonego banana wymieszane z rodzynkami, herbata ziołowa lub kawa zbożowa

Przekąska:

owoce sezonowe

Obiad:

sałatka (zielona sałata, pomidory) z marynatą z octu i oleju rzepakowego, makaron z warzywami: 70 g makaronu ugotować al dente, 200 g warzyw (na przykład marchew i kukurydza) poddusić na wywarze z warzyw, doprawić solą, pieprzem i ziołami, dodać makaron i 40 g startego sera, zamieszać, ponownie doprawić, ewentualnie dodać łyżeczkę oliwy lub oleju rzepakowego

Przekąska:

koreczki warzywne (plastry ogórka, kawałki papryki, pomidora, marchwi i kalarepki)

Kolacja:

zupa-krem z cukinii: 150 g ziemniaków i 250 g cukinii drobno pokroić, ugotować w $1/2$ l wody, zmiksować, ewentualnie dodać nieco wody, doprawić ziołami i odrobiną oleju rzepakowego, podawać z chlebem z oliwkami

Środa:

Śniadanie:

3-4 plastry chrupkiego pieczywa żytniego z masłem i miodem, zbożowa kawa

Przekąska:

1 kubeczek naturalnego jogurtu (w zależności od pory roku można dodać świeże owoce)

Obiad:

surowa papryka, 150-200 g dowolnego mięsa, ryż pełnoziarnisty, fenkuł w wywarze z warzyw

Przekąska:

w zależności od pory roku: truskawki, mandarynki, 1 jabłko

Kolacja:

włoskie antipasti: oliwki, czosnek w zalewie, pomidory lub papryka nadziewane twarogiem, ser owczy, chleb pita, odrobina czerwonego wina

Czwartek

Śniadanie:

40 g pszenicy lub orkiszu zemleć, krótko zagotować w 100 do 150 ml wody, wymieszać z 1/2 rozgniecionego banana, 1 startym jabłkiem i dowolnymi suszonymi owocami, dla urozmaicenia można dodać orzechy lub 1 łyżeczkę oleju rzepakowego (bardziej neutralny w smaku niż oliwa); śniadanie można dowolnie urozmaicać

Przekąska:

30 g orzechów: orzechy włoskie, migdały lub orzechy para

Obiad:

porcja surowej marchwi, marynata z octu, oliwy i oleju, sól, pieprz, zioła;
puree ziemniaczane z mlekiem, solą, pieprzem i gałką muszkatołową; 300 g cukinii i 200 g bakłażana poddusić w wywarze z warzyw (wywaru dodać nieco więcej, żeby służył jako sos), w zależności od pory roku można także użyć brukselki, selera, białej i czerwonej kapusty, świeżej fasoli lub kalarepki; do tego zapiekanka orkiszowa ze świeżą szałwią

Przekąska:

1 pomidor lub inne warzywa sezonowe, ewentualnie wybór włoskich antipasti

Kolacja:

roszponka, zamiast skwarek podawać z prażonymi nasionami słonecznika lub pinii; kluski z soczewicą i warzywami (soczewica, cebula, marchew, por, miód, ocet), rozcieńczony sok owocowy

Piątek

Śniadanie:

2 kromki pełnoziarnistego chleba, masło, nieco sera, herbata ziołowa lub zbożowa kawa

Przekąska:

2 kromki chrupkiego pieczywa z wegetariańską pastą ze sklepu ze zdrową żywnością

Obiad:

sałata ze śmietaną, octem, solą i pieprzem, duszony filet rybny, 2-3 średnie ziemniaki w mundurkach, 150 g marchwi

Przekąska:

100 g twarogu z bananami lub innego samodzielnie przygotowanego twarogu owocowego

Kolacja:

danie warzywne z ziemniaków, marchwi, cukinii i kukurydzy z dużą ilością ziół, doprawić pieprzem, solą i łyżeczką oleju rzepakowego; woda mineralna

Sobota

Śniadanie:

chleb, sezonowe owoce, herbata ziołowa, kawa zbożowa

Przekąska:

kilka rzodkiewek, 1 kromka chrupkiego pieczywa

Obiad:

zapiekanka warzywna z polentą: 300 g warzyw (na przykład brokuły, groch, marchew) poddusić w wywarze z warzyw, 50 g polenty zagotować w 150 ml wywaru, do natłuszczonej formy nakładać warstwy warzyw i polenty, doprawić, posypać serem i pestkami słonecznika, zapiekać w temperaturze 180°C, podawać z sosem pomidorowym

Przekąska:

1 jabłko lub owoce sezonowe bądź orzechy

Kolacja:

spaghetti z semoliny z sosem z oliwy i czosnku oraz świeżą bazylią

Niedziela

Śniadanie:

3 kromki pełnoziarnistego chleba lub 2 pełnoziarniste bułki, masło, dowolna pasta lub konfitura, 1 jajko, ziołowa herbata lub kawa

Przekąska:

30 g orzechów

Obiad:

proso z ratatouille, tortille kukurydziane z musem jabłkowym

Przekąska:

2 kromki chrupkiego pieczywa z ziołowym twarogiem

Kolacja:

duży talerz mieszanych sałat: sałata zielona, ogórki, papryka, marynata octowo-olejowa, do tego ziemniaki w mundurkach lub pełnoziarnista chiabatta; kieliszek czerwonego wina

Dni postu

Dzień pierwszy

Rano:

gorzka sól, herbata, dojrzałe, drobno pokrojone jabłko, które należy dobrze pogryźć

W południe:

zupa ziemniaczana lub ziemniaczano-warzywna (duży ziemniak, marchew i nieco pora drobno pokroić, udusić w 250 ml wody z odrobiną wywaru z warzyw i doprawić do smaku ziołami, na przykład majerankiem, oregano, pietruszką, szczypiorkiem lub rozmarynem)

Po południu:

herbata z miodem

Wieczorem:

zupa ziemniaczana lub ziemniaczano-warzywna

Dzień drugi

Rano:

gorzka sól, herbata, 2 kromki chrupkiego pieczywa z odrobiną masła i miodu

W południe:

2 ziemniaki w mundurkach, 200 g marchwi (drobno pokrojonej, podduszonej w wywarze warzywnym i wodzie)

Po południu:

ewentualnie jedno jabłko

Wieczorem:

2 pomidory, 10 g masła, 3 kromki chrupkiego pieczywa

Dzień trzeci

Rano:

gorzka sól, herbata, 3 kromki chrupkiego pieczywa, 15 g masła, miód lub miseczka muesli (płatki owsiane, jogurt, rodzynki, banany)

W południe:

2 ziemniaki w mundurkach, 200 g szpinaku doprawionego wywarem warzywnym

Po południu:

herbata i miód, ewentualnie jedno jabłko

Wieczorem:

kromka pełnoziarnistego pieczywa, masło, rzodkiewki lub ogórek

Czym jest surowizna?

Dieta oparta na surowiźnie oznacza, że rezygnujemy z pokarmów **gotowanych** lub w inny sposób podgrzewanych. Mówiąc krótko, jemy **świeże** owoce i warzywa lub produkty mrożone, których przed zamrożeniem nie podgrzewano.

Surowe owoce: jabłka, gruszki, banany, śliwki, truskawki, jeżyny, maliny, winogrona, ananasy, kiwi, pomarańcze, mandarynki, awokado, papaja, mango

Sałatki: zielona sałata, endywia, cykoria, lollo rosso, cykoria sałatowa, sałatka ogórkowa, sałatka pomidorowa, sałatka paprykowa, rzodkiewki, rzodkiew

Surowe warzywa w sałatkach: marchew, buraki, seler, rzepa, kalafior, kalarepka, por, cebula, biała kapusta (nie zalewać!), fenkuł

Warzywa poddane fermentacji mlekowej: kiszona kapusta ze sklepu ze zdrową żywnością, samodzielnie przygotowane warzywa

Kiełki: rzeżucha, kozieradka, rzodkiew, zboża (pszenica, żyto)

Suszone owoce: morele, rodzynki, jabłka, daktyle, śliwki, figi. **Spożywać w niewielkich ilościach!**

Orzechy: orzechy włoskie, laskowe, cashew, pecan. **Spożywać w niewielkich ilościach!**

Tłoczony na zimno olej: olej rzepakowy, oliwa, olej słonecznikowy, olej lniany. **Spożywać w niewielkich ilościach!**

Co nie jest surowizną?

Wszelkie produkty owocowe i warzywne ze słoików i puszek, ponieważ ze względu na bardzo długi okres przydatności do spożycia są podgrzewane (pasteryzowanie = podgrzewanie do 60-70°C, sterylizowanie = podgrzewać do 180°C). Surowizną nie są także blanszowane owoce i warzywa.

Owoce i warzywa: wszystkie gatunki z konserw i puszek

Orzechy: orzeszki ziemne i pistacje są prażone, zatem nie zaliczają się do surowizny!

Mleko, produkty mleczne (twaróg, jogurt, ser, śmietana, kwaśna śmietana) są pasteryzowane i nie zaliczają się do surowizny. Wyjątek: sery z niepodgrzewanego mleka.

Zboża w formie chleba, pieczywa tostowego, pieczywa chrupkiego, sucharów, placków, keksów, tortów i ciast nie są surowizną.

Ogólne zasady

W ciągu dnia należy wypić do dwóch litrów ziołowej herbaty i wody mineralnej. Od czasu do czasu także można pić soki warzywne. Soki owocowe należy rozcieńczać wodą.

Nie pić lemoniady, coli, napojów gazowanych ani alkoholu!

Ważne jest stosowanie tłoczonego na zimno oleju rzepakowego lub oliwy.

Owoce można w zależności od pory roku i zapasów zamrażać lub uprawiać w ogrodzie.

Plan na cały tydzień

Poniedziałek

Śniadanie:

herbata miętowa, 2 jabłka

Przekąska:

1 grejpfrut

Obiad:

Surówka z marchwi: drobno starte 5 średnich marchwi i 2 jabłka, rodzynki, nieco soku jabłkowego, 2 łyżki śmietany, 3 orzechy włoskie

Przekąska:

1 jabłko, 2 mandarynki

Kolacja:

1 czerwona papryka pokrojona w paski, 2 orzechy włoskie, 1 gruszka, herbata miętowa

Wtorek

Śniadanie:

herbata koperkowa, 1 plaster świeżego ananasa

Przekąska:

2 plastry świeżego ananasa (grubości ok. 1 cm)

Obiad:

sałatka: zielona sałata, pomidory z marynatą z octu i oleju, porcja tak duża, żeby była sycąca

Przekąska:

1/2 mango

Kolacja:

sałatka ogórkowa z całego ogórka z dużą ilością kopru, marynatą octowo-olejową, odrobiną soli i pieprzem, herbata z kopru włoskiego

Środa

Śniadanie:

1 jabłko, 1/2 mango, herbata z melisy

Przekąska:

1 banan

Obiad:

drobno starte 150 g buraków i 2 jabłka, kminek, 2 łyżeczki śmietany, nieco oleju i octu, pieprz, sól

Przekąska:

3 suszone śliwki, 1 grejpfrut

Kolacja:

sałatka z kiszonej kapusty: 200 g drobno posiekanej kiszonej kapusty, cebule, rodzynki, pokrojone w kostkę jabłko, nieco czosnku, 40 g winogron w zależności od pory roku, pieprz, śmietana, ocet, nieco wody, herbata z melisy

Czwartek

Śniadanie:

herbata lipowa, 2 pomarańcze

Przekąska:

1 banan

Obiad:

sałatka z papryki (czerwonej, żółtej, zielonej), marynata octowo-olejowa, sól, pieprz, zioła

Przekąska:

1 banan

Kolacja:

sałatka z rzodkwi: rzodkiew i rzodkiewki drobno zetrzeć, doprawić pieprzem, solą, octem i olejem

Piątek

Śniadanie:

2 plastry ananasa, herbata miętowa, kawa zbożowa

Przekąska:

5 śliwek, $1/2$ garści orzechów cashew

Obiad:

drobno starty kalafior, marynata: $1/2$ rozgniecionego banana, $1/4$ łyżeczki curry, pieprz, sól, 2 łyżki śmietany, nieco wody

Przekąska:

2 plastry ananasa

Kolacja:

sałatka z kiełków: kiełki, rzeżuchy, kozieradki wyhodować zgodnie z przepisem na opakowaniu, podawać z octem/olejem, pieprzem, solą i papryką w proszku; herbata miętowa lub kawa zbożowa

Sobota

Śniadanie:

herbata z kopru włoskiego, 1 pomarańcza, 50 g winogron

Przekąska:

1 gruszka, 1 pomarańcza

Obiad:

sałata z $1/4$ kubeczka śmietany, wodą, octem, solą i pieprzem

Przekąska:

1/2 garści orzechów laskowych i 1/2 garści rodzynek, 5 moreli

Kolacja:

sałatka z pora: 150 g pora pokroić w drobne krążki, 1 średnią marchew drobno zetrzeć, 1/4 cebuli drobno posiekać, dodać ewentualnie 50 g drobno pokrojonego sera, 1 ząbek czosnku, paprykę w proszku, chili, pieprz, odrobinę soli, 3 łyżki śmietany i nieco wody; herbata z kopru włoskiego

Niedziela

Śniadanie:

5 suszonych śliwek, 1 jabłko, kawa zbożowa

Przekąska:

150 g winogron

Obiad:

sałatka ogórkowa z całego ogórka z dużą ilością koperku, marynata octowo-olejowa, 2 łyżeczki śmietany, sól, pieprz; herbata z kopru włoskiego

Przekąska:

2 kiwi

Kolacja:

duży, mieszany talerz sałatek: zielona sałata, 1/4 ogórka, 1/4 cebuli, 1/2 papryki, nieco rzodkwi, marynata octowo-olejowa; kawa zbożowa.

Manfred Müller
Twarz zwierciadłem zdrowia

96 stron, format B5,
oprawa miękka
ISBN 978-83-89384-93-5
Od października 2007

Nostradamus i jego przepowiednie 2008

104 strony, format B5,
oprawa miękka
ISBN 978-83-89384-95-9
Od sierpnia 2007

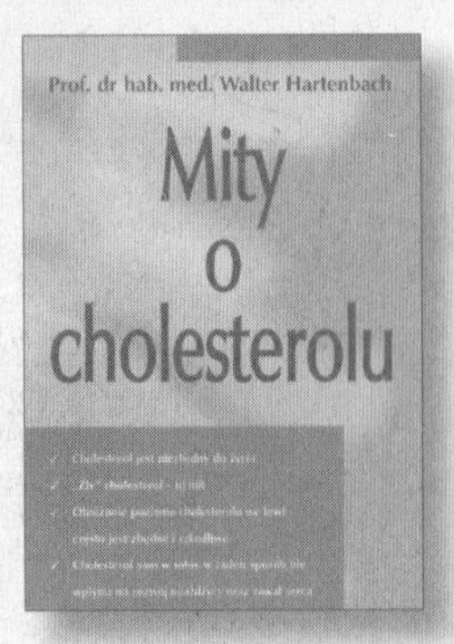

Prof. dr hab. med. Walter Hartenbach
Mity o cholesterolu

112 stron, format A5,
oprawa miękka
ISBN 978-83-89384-97-3
Od października 2007

Dr Karl F. Maier
Nie chrap

104 strony, format A5,
oprawa miękka
ISBN 978-83-61011-00-2
Od października 2007

Robert M. Bachmann, Birgit Kofler-Bettschart
Dolegliwości żołądkowo-jelitowe

112 stron, format A5,
oprawa miękka
ISBN 978-83-88872-96-9
Od września 2007

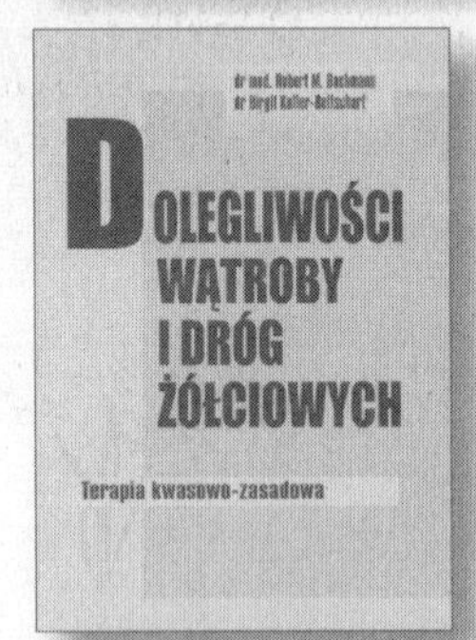

Dr med. Robert M. Bachmann, dr Birgit Kofler-Bettschart
Dolegliwości wątroby i dróg żółciowych

128 stron, format A5,
oprawa miękka
ISBN 978-83-89384-94-2
Od sierpnia 2007

Wiktor Pajor
Przyprawy ziołowe w kuchni

152 strony, format A5,
oprawa miękka.
ISBN 978-83-89384-87-6
Od marca 2007

Dr Karin Lindinger
Pełen talerz - smukła linia

168 stron, format A5,
oprawa miękka
ISBN 978-83-89384-88-1
Od kwietnia 2007